竹田正興

危うい国、日本

防備不足の罠

晶文社

危《あや》うい国、日本　防備不足の罠《わな》

装幀　重実生哉

はじめに

偶然に救われた、東日本壊滅

中国武漢発の新型コロナウィルス感染症が、2020年初頭から、日本を含むアジア、EU諸国，アメリカ、南米、中東、アフリカと、瞬く間に世界中に蔓延《まんえん》し、その感染拡大の被害と、その後の経済大不況が危惧《きぐ》されています。

各国は発症から間もなく1年が経過する今日ですら、未だに都市封鎖から外出制限など行動制限、自粛策をとるなど、感染流行の収束どころか、感染拡大に警戒態勢を強化しており、観光やサービス業は内外で停滞し、大方の経済活動も縮小による雇用や経済に甚大な影響が広がっています。生活も経済も変貌し、もはや元には戻らないだろうといわれています。

日本も東京を中心に感染が拡大し、2020年酷暑の7月末に予定していた第32回オリンピック東京大会開催はあっさり中止となり、1年後の同時期に延期されましたが、それも見通しは立っていません。

政府は2020年4月7日から1か月間緊急事態宣言を発出し、国民の外出自粛などの特別措置がとられ、6月には感染は収束に向かったかと思われました。

ところが、7月から再度ぶり返し、日ごとの感染者数は増加に転じ、遂に年末年始にかけて首都圏に感染爆発の恐れが出て来ました。東京、神奈川、埼玉、千葉など1都3県の知事から速やかな発出要請を受けた政府は、2021年1月7日、同地域に対し2度目の緊急事態宣言を発し、夜間の外出自粛、飲食店の営業時間制限などを要請しました。期間は翌8日から1か月間で、大阪、京都、兵庫、愛知、岐阜、福岡、栃木などの府県も続々と追加発令の予定です。どうも、日本も新型コロナウィルス感染症収束対策に失敗し、東京及び周辺地域のみならず全国的に感染拡大に歯止めがかからなくなったようです。そのため感染者の入院先や重症者の治療などに応えられない医療崩壊の危機が高まってきました。

こうして我々は、ちょうど100年前に猛威を振るったスペイン風邪の凄《すさ》まじさに思いを馳《は》せ、何よりも新型コロナウィルス感染防止に努めつつ、更に今後降りかかる未知未体験のあらゆる危機、危険に対して、決して防備を怠れない時代の到来を実感しました。

その意味で、間もなく10年になる、2011年3月11日の東日本大震災による東電福島第一原発の重大事故発生は「危うい国、日本」そのものであり、決して忘れ去ることはできません。

実は、2011年3月11日の東日本大地震とその後の大津波で、15日から16日にかけ、東電福島第一原発が大爆発して、続いて第二原発も相次いで爆発し、首都を含む日本の半分が重度の放射能に覆われ「東日本壊滅」、一瞬で要避難地域化するところだったという信じ難い事実があります。突然の避難指示に、国家は機能停止、経済、社会、生活は崩壊、5000万人に及ぶ国内避難民は、逃げ込む核シェルターはなく、避難先も、避難方法も何もかも定まらず、恐怖と不安で絶望、困窮するところでした。

「日本壊滅」の極致は、小説の世界ですが小松左京著『日本沈没』だと思います。この本は1973（昭和43）年、戦後日本の高度経済成長時代末期に出版されました。

日本海溝で地殻異変が発見され、日本列島沈没の予測が的中、わずか二年で海底に沈没する「日本国消滅の運命」を描いた迫真の小説は、空前の大ベストセラーとなりました。日本列島が四国あたりから次々海中に没してき、関東が最後に大爆発を起こして、遂に日本国が海中に完全に消滅するさまを描いたものでした。日本民族は列島と命を共にした者を除き、避難民となって世界各地に移住していき、日本の繁栄と永続と思われた歴史は、列島沈没をもって永遠に幕を閉じるという物語です。

近世史上、日本人が現実に「日本壊滅」の危機を身をもって観念したのは、1945（昭和

20）年「アジア太平洋戦争敗戦」ではなかったでしょうか？　軍人、民間人併せて３００万人もの犠牲者を出し、沖縄占領、本土主要都市は焼土と化した上に、広島と長崎に史上初めての原子爆弾投下で無条件降伏した日本は、まさに「日本壊滅」そのものでした。

もし敗戦国日本が、米国、ソ連、中国、英国などに、本州、北海道、四国、九州などそれぞれ分割統治され、天皇制が廃止となり、国体が失われていたら、日本は分断崩壊に陥るところでした。

しかしこの時の日本占領は事実上米軍によって行われました。連合国最高司令部（ＧＨＱ）のマッカーサー司令官と天皇陛下の直接会談は、伝えられるところでは11回にも及び、天皇制は維持され、国体崩壊という最悪の事態は避けられました。敗戦国日本は最後に国家の大本が守られ、蘇《よみがえ》ることができたのでした。

不可能な５０００万人の避難、必要だった核シェルター

もし福島原発大爆発で大量の放射能汚染が拡大したら、東日本はどう壊滅するのでしょうか？

２０１１年３月15日から16日に、福島第一原発の２号機原子炉格納容器が爆発し、次いで第

一原発が大爆発を起こし、更に影響が福島第二原発にも及び一帯が火の海になったとすると、その規模はチェルノブイリ原発事故の10倍ということで、広島型原子爆弾400×10＝4000発分もの大量の放射能が、ほぼ東日本全土を厚く覆《おお》い、首都圏、東日本一帯は半永久的に人が住めなくなり、都市も農村もそのままの姿で廃墟と化してしまいます。

もしその時、東京を含む首都圏、東北地区の半径約250㎞にいきなり避難指示が出されたら、そこで暮らす5000万人にもおよぶ膨大な人々の避難移動はできるのでしょうか？

避難命令をめぐり、大多数の人は逃げ込む核シェルターもなく、恐怖と不安の中、家に閉じこもり、誰も助けにならず、放射能と闘いながら避難先を探して、家族ともども身の回りの整理と失意に暮れるだけです。

放射能を逃れ、とりあえず避難先に辿り着いたものの、住居、仕事、生活でうまくいかず、たいていの避難民の人生が2011年3月を境に、突如として暗転、多くの生活、人生は終わっていたのです。

先進諸国が万一に備えて、例外なく整備している、核シェルターが、日本には殆どありません。5000万人もの人々が避難を完了するには、かなりの期間を要することとなり、そのため核シェルターは絶対に必要だったのです。日本にその備えがないことについて、不思議なことにどこからも未だに問題を提起されたことはありません。この一事をもってしても日本は、危機管理ができていない大変「危うい国」なのです。

新型コロナウィルス・令和大震災・ハイパーインフレ、三重苦で、いよいよ日本自滅？

「昭和のアジア太平洋戦争敗北」、「平成の東電福島原発過酷事故」は、いずれも「幸運と偶然」によって危機一髪のところを辛うじて救われ、最悪の「日本沈没」という事態は何とか免れることができました。

しかし、これからの令和日本は、いよいよ未曽有の大自然の脅威による人類史上未体験の大災害と、それに続く致命的な経済危機など近世三度目の「令和の日本自滅」ともいうべき「国家安全保障崩壊の危機」を迎えようとしています。

具体的には、現在の日本は「千年に一度の大地変動時代」を迎えつつあり、近代国家を破壊しつくすような巨大自然災害が、首都圏及び西日本を襲い、人類史上初めてハイテク近代過密都市群、臨海工業地帯、高速鉄道、道路、臨海空港などが、もろに被災し、その規模は東日本大震災の10倍を超える数十万人の震災犠牲者と数百兆円に及ぶ開闢《かいびゃく》以来の被害が発生するとされています。

更に、その後の経済災害として、大震災復興の臨時財政支出が国債大増発に及び、財政再建先延ばしによる更なる財政悪化となれば、国債大暴落を引き起こし、昭和敗戦後と同様に、「令和のハイパーインフレ」を引き起こす恐れがあります。

このような「想定外で重大な危険の来襲」は、日本では、21世紀直前の1995年1月17日の「阪神淡路大震災」と3月20日「地下鉄サリン・テロ事件」以来、既に始まっていました。

我々は「想定外で重大な危険」の来襲として、降ってわいてきたような「新型コロナウィルス禍と襲い来る経済大恐慌」に、間もなくやってくる更に苛烈な「令和の巨大自然災害」と「経済被害としてのハイパーインフレ」が重なって「三重苦の国家最悪の危機」に陥る恐れすらあるのです。

日本は、それにとどまらず、我々の世代で解決すべき重要課題の先送りや防備不足のまま「グローバル化の罠」にはまり、JRの国家的重要資産の流出、領土の消失、更には農業における「種」の外国企業支配などによる農業主権を失う恐れも出てきました。

これらは国家的重要資産や領土に対する国家主権、農業など食料主権の喪失であり、日本国の属国化の始まりで、令和時代に日本の国家安全保障の重大危機を迎えることとなりそうです。

防備不足の日本、主権喪失で属国化？

それは日本が令和大震災からハイパーインフレで国家凋落の極みにあっても、世界経済は人、モノ、カネが国境を越えて戦略的に動き回るグローバル化がますます勢いを増しております。米国の巨大金融資本や多国籍企業など世界中の強力な国際資本から、「中国製造２０２５」、「中国の一帯一路」のような国家資本活動まで、その強大な資本力、技術力をもって国境を越え、国家主権をも飛び越えて、世界を席巻、支配せんとしております。

このような「グローバル化の罠」の厳しい先行事例としては、中国の「サイレント・インベージョン」（静かなる侵略）の犠牲者となったとされるオーストラリアのケースがあります。オーストラリアが表立《おもてだ》って狙われたのは、港湾、農地、鉱山などでしたが、日本も中国の国家資本のみならず、グローバル資本による日本支配化戦略の下に、国家主権を蔑《ないがし》ろにされて、属国化に陥る恐れは十分に有り得ることです。

しかも、グローバル資本侵攻の経済戦争敗北で、防備不足の罠にはまった属国化は、一応正当な経済行為によって行われたことになるだけに、国家的重要資産、領土や国家主権を売却したのと同じで、決して元に戻ることはなく、平和国家で繁栄したまま国家安全保障は危機に瀕します。

「最悪を想定、最大限備える」リーダーシップ

日本は、戦後ずっと、国家安全保障確保と言いながら、アメリカ頼みの日米安保条約による国防と国際自由貿易参加による経済成長に頼り切り、押し迫る巨大自然災害、経済恐慌に対して、自力で国民の命と生活をどう守るか？　更に経済のグローバル化の罠から、国家的重要資産、領土、食料主権などを守る現実の国家安全保障上の当然の備え、守りの手立てが殆ど打てていません。

何故日本のリーダーが、これまで国家国民の安全保障を十分に守ることができなかったか？について、あえて、言わしていただくと、

「日本に降りかかってくる重大かつ深刻な危険、危機の本質を察知し、『最悪の事態を想定し、最大限備える』という守りが出来なかったからだ」と思います。

真のリーダーには、危険国日本の具体的なリスクの重大性を察知して、大事故や最悪の事態を是が非でも未然防止しようという「強固な良心のリーダーシップ」が求められています。

日本の戦後生産体制の品質改善にあって、来日して日本工業界の品質管理の育ての親であるアメリカ人のデミング博士は、真のリーダーの条件を「経験を積み深淵《しんえん》なる知識を学ぶ高潔な人格者」と言っていました。

これまでの日本の歴史を見ても古代から幾多の難局をその時々の優れたリーダーの賢明な指導力で、乗り切ってきました。

それが、明治維新に成功し、日清、日露戦争に勝つことによって慢心し、真実を学び良心と勇気をもって決断できる真のリーダーを失い、無謀なアジア太平洋戦争に冒進、「大敗戦」で、史上初めて国家崩壊の危機を体験しました。

アジア太平洋戦争大敗北後でも、戦後の経済復興を果たし、経済成長を達成しましたが、豊かになると経済バブルが崩壊、平成に入り、経済技術先進国でありながら、フクシマで原発重大事故を未然防止できず、あわや東日本を壊滅させるところでした。

このような日本では、新型コロナウィルス禍に始まって、今後確実にやってくる令和の大震災と経済被害としてのハイパーインフレにより、国家国民生活の大破綻は避けられそうにありません。

かてて加えて、経済のグローバル化の罠で、外資による国家的最重要資産ＪＲの外国鉄道化、国土、森林等の所有権の海外流出ないし喪失に及び、更に、農業における種子の支配を通じて国の農業主権の喪失など、外国巨大資本の支配化、属国化が一気に進みそうな情勢にあります。

このような「危うい国、日本」を救うためには、事の重大性を見極め「最悪を想定し、最大限に備えて」常に守りを固め、日本自身が「自立、自衛で、安全、平和の農・商工両全で発展する堅実な国家」をどう造り上げられるか？　にかかり、それをリードできる「強固な良心のリーダーの育成」にかかっていると思われます。
本書では、これまで出版させていただきました『品質求道』（東洋経済新報社）、『新版安全と良心』（晶文社）で述べました食糧問題、安全問題、品質管理論、リーダーシップ論などを、最近の「危うい国、日本・防備不足の罠」という視点から新たに問題提起し集大成させていただきました。

令和3年1月吉日

竹田正興

もくじ

第Ⅶ章　国家安全保障を守り抜くトップリーダーの育成

第I章　巨大地震・噴火・新型感染症の脅威と経済恐慌

1 新型コロナウィルスの底知れない脅威と経済大恐慌

２０１９年秋に中国武漢に端を発した新型コロナウィルスの蔓延は、年が明けて２０２０年2月以降、グローバル時代にあって日本、韓国などアジア全域、イタリア、スペイン、イギリスなどEU諸国、ニューヨークなど北米、ブラジルなど南米、アフリカ大陸と瞬く間に全世界に広がり、WHO（世界保健機関）は、２０２０年3月10日に、感染11・８万症例、死者４０００人超の段階で、世界パンデミックを宣言しました。

２０２１年1月29日午後5時現在（日本時間）世界の感染状況は、米ジョンズ・ホプキンス大の集計によりますと、世界の感染者累計は1億１４万人、死者累計は２１９万人となっています。米国やインドなどでは感染拡大が波状的に続いていて、一旦収束に向かった欧州でも再び感染者が増加中です。世界の主な国、地域の感染のトップ3は、一番が米国で感染者２５７６万人、死者43万人で、インド、ブラジルの順になっていて、発症元の中国は、感染者9・6万人で既に鎮静化しているように見えます。

日本では２０２０年4月7日、緊急事態宣言が発せられました。対象地域は東京、神奈川、埼玉、千葉、大阪、兵庫、福岡の7都市で、期間は5月6日までの1月間、諸外国のように都市封鎖は行わず、経済社会機能は可能な限り維持し、国民の行動を変え、人と人との接触機会の7から8割の削減を目指す、というものでした。4月16日には、新型コロナウィルス対応の特別措置法に基づき、対象区域を全国に拡大しました。

6月には感染状況は一旦収束に向かい、逐次経済活動を再開したものの、7月から再度感染拡大が始まり年末年始に向けて一挙に勢いを増し、遂に首都圏の1都3県に感染爆発の恐れが出たため、同地域の知事から強い要請を受け、政府は2021年1月7日、同地域に、翌8日から1か月間の緊急事態宣言を発出するに至りました。続いて、大阪、京都、兵庫、愛知、岐阜、福岡、栃木などにも拡大適用されました。

このことは、日本も新型コロナウィルスの感染収束化に失敗してしまったということであり、多くの感染者の入院先が決まらないとか重症者が治療を受けられない医療崩壊が起きつつあるということを示しております。

ここで政府は新型インフルエンザ等対策特別措置法の改正に着手し感染防止対策を強化改善し、感染爆発の収束ないし回避に努め、併せて医療体制強化支援に全力を挙げることとなります。

日本国内の2021年1月29日現在の国内の感染確認者数は38・4万人（前日比3535人増）、死者数　5610人（前日比96人増）となっています。

ⅰ 今回の新型コロナウィルスの特徴の一つは、中国から全世界への広がりの速さです。中国がグローバル化した経済取引と一緒にウィルスも相手国に瞬時に伝播し、極めて短期間に地球規模に蔓延して、第２波、第３波がきて終息には２、３年はかかるということです。

ⅱ 二つ目は、この新型コロナウィルスの感染力の巧妙な強さで、通常ウィルスに感染後、病気を発症して感染が拡大していきます。当該ウィルスは、感染しても数日間、無症状あるいは軽症の人が８割以上もいて、そういう人からもどんどん感染するため、検査体制は短期間に全員を検査できるように強化しない限り、感染者の把握、隔離、抑制など防止策が成功しないことです。

重症化ないし要治療率は感染者の２割以下なのですが、検査を大幅に拡大すると、もともと少ない入院ベッドを一挙にふさぐ恐れがあり、医療崩壊をおこし、検査のやみくもな拡大はできないというジレンマがあります。

重症化の場合その病状はかなり深刻で、有効な治療薬が開発製造されないと、命にかかわるとともに、治っても後遺症が残る場合もあり、恐ろしい感染症とされています。

ⅲ 有効なワクチンの開発や治療薬の製造は各国でしのぎを削って進められていて、アメリカやイギリスの製薬会社が、２０２０年末までに開発ワクチンの接種を開始したと報じられています。

早い開発、接種は喜ばしいことですが、全世界の人々に早期に行き渡らせることは困難ですし、重篤な副反応が発生したり、変異種ウィルスの出現で感染、重症化に十分な効果が得られなければ、ワクチンでウィルスを抑え込むことは依然できないということです。その場合、世界の感染はまだまだ続くこととなり、人々は密閉、密集、密接など、人と人の交流、接触の制限、外出自粛と手洗い、マスク着用などの衛生管理の下に、相当期間にわたって厳しい行動制限を受け、経済活動などの全面的再開は考えられません。あれほど大騒ぎして誘致した2020年酷暑の東京オリンピックは、既に中止となり、1年後の同時期に延期されたものの、それすら開催できる保証は全くなく、感染状況やワクチン接種の効果を見ながら、タイムリミットを待っているにすぎません。

中国武漢発の新型コロナウィルス禍の近代文明に及ぼした影響は意外に大きく、京大名誉教授の佐伯啓思氏は「このコロナウィルス騒動は、見事に現代文明の脆弱《ぜいじゃく》さをあらわにしてしまったように見える」、「現代文明は次の三つの柱をもっている。第一にグローバル資本主義、第二にデモクラシーの政治制度、第三に情報技術の展開である。それらは、人の幸福を増進し、人類の未来を約束するとみなされてきた。だが、今回のコロナウィルス騒動は、この楽観的な将来像に冷水を浴びせかけた」（朝日新聞・2020年3月31日）と述べています。

確かに、我々都市に住む現代人は、人と人の接触で意思を伝え、取引し、信頼をえて生活、ビジネスをしています。満員電車での通勤通学、会社、学校での集団の仕事や勉学、病院や老人ホームなどでの診療、介護、レストランでの飲食、スーパーマーケットでの買い物、休日や休暇の旅行、スポーツや映画の鑑賞などですが、これらは全て多かれ少なかれ密閉、密集、密接（三密）で、新型コロナウィルス感染の脅威にさらされ、大幅な制限を受けております。

ビジネスの世界では、特にサービス業は、商売成功のカギは効率化と高密度営業にあります。航空機や新幹線輸送でも密閉空間に多数の客を収容し、効率的高密度・高速輸送で成り立っています。小売り業や飲食業、エンターテイメントビジネスなども行列ができるくらいの高密度営業が理想とされ、効率的で密度を高めることを競ってきました。

ところが、密閉、密集、密接にならないようにと座席の間隔をあけて、時間短縮営業している店舗などを見ますが、このようなことをしていては到底利益を上げることは困難で、何れ行き詰まります。

同じことは航空機や新幹線などで3列席の真ん中を不使用としてしまったら、現行運賃では恐らく利益は出ませんので、成長過程にあった格安航空会社（ＬＣＣ）のような業態はすぐさま窮地に追い込まれます。当然、通勤通学の満員電車、病院の混雑待合室、公衆浴場、相撲の桝席《ますせき》に至るまで次々に問題が出てきます。

典型的なのは観光業で、観光の振興は、グローバル時代の人々の活発な交流による主力ビジネスとしてはもとより、国民のレベルで相互理解、文化の交流などを通じ、世界平和と経済発展を可能とする「21世紀の理想のビジネス」でした。

日本は近隣諸国から世界のインバウンド需要を拡大するため、中国などのビザ発給の緩和などして、２０２０年には東京オリンピックもあるということで年間４０００万人もの訪日客を目標としていましたが、新型コロナウィルスの登場、蔓延で、入国客は２０２０年4月、５月などは一挙に99・９％もの減少となり、観光ビジネス、観光立国構想は、ほぼ停止してしまいました。新型コロナウィルス感染の恐れが続く限り、航空機であれ、クルーズ船であれ以前のような海外旅行の復活の可能性は暫く考えられません。

新型コロナウィルス禍がもし3年も続きますと、停止状態の観光業はもとより、感染防止で人々の外出自粛による消費の減退、企業収益の蒸発ないし縮小、雇用の悪化など経済の広範で甚大な被害が世界的規模で深刻化して参ります。

新型コロナウィルスの感染拡大で、世界経済の見通しは、世界恐慌以来リーマンショック越えの大幅落ち込みが伝えられています。

国際通貨基金（ＩＭＦ）は２０２1年1月26日、２０２０年の世界経済成長率は前年比３・５％減とし、10月の見通しマイナス４・６％ほどではないものの、「２０２０年は大恐慌以来の世界不況となったことには変わりはない」と指摘しています。２００９年のリーマンショック時の世界経済成長率の落ち込みは０・１％減でした。

このように新型コロナウィルスによる世界大不況はこれからが問題で、ＩＭＦは「２０２１年も１５０か国以上が新型コロナ前の２０１９年の経済水準を下回ると予想し、世界全体の経済損失は２０２０～２０２５年の累積で22兆ドル（約２３００兆円）に達する」と試算しています。

このような甚大な経済被害のほか、国際観光ビジネスのような経済のグローバル化にストップをかける足枷《あしかせ》や、現代ビジネスで発展した効率的高密度経営などの経営理念そのものが否定され、変更、修正を強いられるという思いもしなかった事態に追い込まれ、簡単に元に復することのないまま、前代未聞の大恐慌に突入する恐れが出てきました。

今から１００年ほど前の１９１８年に、日本も、第一次世界大戦で大流行したスペイン風邪に見舞われ、１９２１年までの３年間に、総人口５６００万人の半数にあたる２３００万人が感染し、内務省衛生局調べで、38万人（50万人説も）の死者を出しました。

当時、日本は、１９１４年から１９１８年の第一次世界大戦によって戦勝国となったものの、１９１８年から１９２１年までスペイン風邪大流行、１９２３年に関東大震災が発生し、震災不況から、１９２７年には昭和金融恐慌になり、遂に１９３０年代の世界大恐慌に巻き込まれました。経済不況は、その後のアジア太平洋戦争を経て、戦後のハイパーインフレへと続き、終わったのは、ほぼ30年後の１９５０年の朝鮮戦争勃発の頃でした。

１９１８年からのスペイン風邪の大流行と１９３０年代の世界大恐慌発生とは直接の関係はありませんでしたが、今の新型コロナウィルス流行から、再度前代未聞の大震災や世界大恐慌に向かわんとしている現在の歴史の流れは、昭和のスペイン風邪、関東大震災、世界大恐慌、アジア太平洋戦争、戦後のハイパーインフレへという、困難で長い不幸な時代と部分的に二重写しとなるところがあります。

新型コロナウィルス蔓延の経済対策としての政府の役割は、各国とも思い切った財政支出ということです。我が国も「一律10万円の給付金、中小企業への持続化給付金（２００万円）」などで、財政の多額のバラマキしか打つ手がなく、当然のことながら赤字国債の大量発行で賄われます。二度にわたる補正予算の新型コロナ対策で57兆円が支出され、国家財政赤字は一段と拡大し、２０２０年度末の普通国債残高は９６４兆円の見通し（財務省調べ）となりました。こうして国家経済と財政は破綻状態に向かったまま、「世界恐慌以来の最悪の不況」に突入し、次節で述べる令和大震災を迎えることとなります。

2 巨大地震が連動する？ 令和大震災の脅威

専門家のほぼ共通の説として、21世紀の日本は千年ぶりの「大地大変動の時代」に突入しており、向こう30年足らずの間に首都圏・東海・西日本を巨大地震が襲い、更に富士山や箱根なども何時大噴火を起こしてもおかしくないと警告しています。

もし、東日本大震災が千年程昔の８６９年の貞観地震の再来であったとしますと、当時と同じように、これから首都圏や西日本で巨大地震や富士山の大噴火が9年間隔で連動して起こる最悪の事態があり得るわけです。その場合は超過密都市東京や東海道集積都市ベルト地帯が、人類史上初めて巨大地震、大噴火の直撃を受け、大被害が発生、数千万人が恐怖の被災を体験し、名実ともに国家、国民生活の大崩壊に至る恐れがあるのです。

首都圏大震災について、石橋克彦氏は『大地動乱の時代』（岩波書店）で、「首都圏のような軟弱地盤の上に広がる超過密のハイテク巨大都市群が、直下の大地震によって震度6、震度7の激しい地震動に直撃されるのは人類にとって初めての経験であることを忘れてはならない」、「敗戦後の復興期とそれに続く高度経済成長、一極集中の時期が関東地方の地震活動静穏期に当たり、しかも人類史上かつてない技術革新の時代に一致したことは、過去と決定的に違う要因である。その間に東京圏は、実際の大地震には一度も試されることなく野放図に肥大、複雑化して、本質的に地震に弱い体質になってしまった」、「現在の東京は大自然の摂理と現代文明の相克《そうこく》が地球上でもっとも激しい場所の一つである。そこに潜む本質的な無理が大地震の際に極限まで顕在化して、ここで生ずる震災は人類がまだ見たことのないような様相を呈する可能性が強い」と首都圏は、巨大地震の前に過度の一極集中のとがめが出て、想像を超える被害の発生を警告しています。

国の中央防災会議は首都圏大地震でマグニチュード7（M7）クラスの直下型地震による被害として、死者2・3万人、全壊・焼失家屋　61万棟、経済被害95兆円と試算しています。また首都圏大震災や富士山、箱根の噴火に前後して東日本大震災より一桁大きい「南海トラフ巨大地震」の発生と大被害が予想されています。規模は約３００年前に起きた宝永地震M8・6以上で、東日本大震災のM9・0に匹敵するM9・1クラスの巨大地震が想定されています。

中央防災会議の被害想定では、地震発生から、早いところでは2分後には大津波が海岸を襲い、その高さは34mに達すると予想されています。

京都大学教授の鎌田浩毅氏は南海トラフ巨大地震について、『西日本大震災に備えよ』（PHP研究所）で、「地震災害としては、九州から関東までの広い範囲に震度6弱以上の大揺れをもたらす。特に震度7をこうむる地域は10県にまたがる総計151市区町村に及ぶ」、「南海トラフ巨大地震が太平洋ベルト地帯を直撃することは確実だ。被災地域が産業・経済の中心地にあることを考えると、東日本大震災よりも一桁大きい災害になる可能性が高い。すなわち、人口の半分近い6000万人が深刻な影響を受けるのが『西日本大震災』である」と述べ、東南海地震、いわゆる西日本大震災の犠牲者の総数32万人、全壊建物238万棟、津波によって浸水する面積は約1000平方キロメートルとしています。「経済的な被害に関しては220兆円を超えると試算されている。例えば、東日本大震災の被害総額の試算は20兆円ほど、GDPでは3%程度だった。西日本大震災の被害予想がそれらの10倍以上になることは必定なのである」と述べています。

また、富士山、箱根山の噴火については、「もし富士山が江戸時代のような噴火をすれば、首都圏を中心として関東一円に影響が生じ、総額2・5兆円の被害が発生すると試算された。富士山の裾野にはハイテク工場が数多くある。火口から出た細かい火山灰はコンピュータの中に入り込み、様々な機能をストップさせてしまう」と述べています。羽田や成田を発着する航空機や東海道新幹線、あるいは自動車などにもかなりの影響が出るようで、被害額も2・5兆円などでは収まりそうでなく、降灰の影響が長引くと、健康や経済に深刻な影響が出るともいわれております。

更に、実は本当に大噴火すると怖いのは箱根山で、鎌田氏は「そして箱根山で最も心配されるのは、6万6千年前に起きた『巨大噴火』である。大規模な火砕流が60㎞離れた横浜市まで到達した。すなわち高温の火砕流が神奈川県のほぼ全域を焼き尽くしたのだ」、「その直前には、大量の軽石と火山灰も噴出し、東京では火山灰が20㎝も降り積もった。もし箱根山で同規模の巨大噴火が起きれば、神奈川県が全滅し800万人を超える死者が出ると推計されている」とし、日本では巨大地震が火山の噴火を誘発しており、巨大噴火が関東、九州、北海道などで本当に起こると、人々は、安穏《あんのん》と日本列島に住めなくなり、文明の崩壊を招くことを鎌田氏は懸念しています。

今後百年以内に巨大噴火の起きる確率は1％で、これはいつ起きてもおかしくないと認識すべき数字だそうです。こうしてみると日本では火山の噴火も要警戒なのです。阿蘇や箱根のようなカルデラ噴火は猛烈で、かつて縄文人が滅亡したように近代文明を滅ぼすかもしれないのです。

3 巨大自然災害に勝てない近代文明 ―新幹線に見る巨大地震の安全対策の現実―

首都直下地震、西日本大震災、富士箱根の噴火などが令和の30年以内に連動して起こるとすると、それは東日本大震災の10倍以上の甚大なる被害が過密都市東京や太平洋ベルト地帯に広がり、人類が初めて体験する史上最大の大規模災害となる恐れがあります。

首都・中京・阪神を結ぶ世界最大の東海道ベルト近代都市群を築き上げ、世界屈指《せかいくっし》の地殻変動地帯に住みながら、地震と津波に対する防御が極めて不十分なことを指摘して、鎌田浩毅氏は著書「日本の地下で何が起きているか」で、物理学者寺田寅彦の言葉を引用しています。「文明が進めば進むほど天然の暴威による災害がそのゲキレツの度を増す」（寺田全集第7巻）。

太平洋ベルト地帯を結ぶ象徴は東海道新幹線ですが、東海道新幹線や今建設中のリニア中央新幹線が、南海トラフ大地震と大津波から無事犠牲者を出さずに済むかどうかは、まさに寺田の言う「大自然の暴威と近代文明の相克《そうこく》」そのものではないでしょうか。

過去の「巨大地震と新幹線の安全確保」の経過を見ましても、「近代鉄道文明は巨大地震に殆ど無力であった」ことが次の事例でわかります。

ｉ　１９９５年の阪神淡路大震災（マグニチュード7・3、以下Ｍ７・３）では、ＪＲ西日本の山陽新幹線の高架橋が大規模に崩壊し、高速運転中の新幹線の脱線転覆による大惨事は必至の状況となりました（写真1　新幹線安全神話崩壊となった阪神淡路大震災における高架橋崩落現場）。

写真１　新幹線安全神話崩壊となった阪神淡路大震災における高架橋崩落現場（1995年1月17日）（「毎日新聞社」提供）

しかし、地震発生時刻が早朝で、新幹線が走り出す寸前だった幸運に恵まれ、新幹線転覆という空前の大惨事を免れました。ここに１９６４年開業の「新幹線の安全神話」は、30年余で実質的に崩壊しました。続いて、ii　２００４年の新潟県中越地震（Ｍ６・８）では、ＪＲ東日本の上越新幹線が部分的に阪神淡路大地震を上回る激しい振動を受け、高速営業運転中の新幹線列車が脱線事故を起こしました。営業運転中の新幹線の、地震の強振動での初めての脱線事故でした。

　ＪＲ東日本は、阪神淡路大震災の教訓に学び、高架橋崩壊を防ぐ橋脚に鉄板を巻くなど耐震補強工事を上越新幹線の活断層区間にも行っていたため、高架橋倒壊は防ぐことができましたが、時速２００kmで走行中の営業列

写真2 新潟県中越地震で脱線した上越新幹線「とき325号」（2004年10月23日）

（「交通新聞社」提供）

車は、新幹線史上初めて脱線し、対向線路に大きく傾いて停止しました。この状態では正面衝突の恐れがありましたが、たまたま対向列車はなく、幸運にも大惨事に至らず事なきを得ました（写真2 新潟県中越地震で脱線した上越新幹線「とき３２５号」）。更に続いて、

iii ２０１１年の東日本大震災（M９・０）での東北新幹線については、下部土木構造物等の耐震補強策により、激しい揺れに対し高架橋崩壊等はありませんでしたが、上部電力関係のコンクリート製電化柱の折損倒壊などが、大宮―沼宮内間の５００km以上の広範囲で発生していました（写真3 東日本大震災による東北新幹線の電化柱倒壊現場）。この時も幸運にも、営業運転中の26本の新幹線列車に倒壊電化柱に乗り上げるなどによる脱線事故はありませんでした。

写真3 東日本大地震による東北新幹線の電化柱倒壊現場（2011年3月）
（コンクリート工学 53(7), 622-628, 2015）

これは、巨大地震ではあっても、震源地が遠かったため、早期地震検知システムが作動し、いち早く減速に成功したこと、過去の阪神淡路大震災や新潟県中越地震の教訓から脱線被害を軽減させる改善装置を導入したことが効果を上げたからでした。

iv なお２０１６年の熊本大地震（Ｍ・７・０）では九州新幹線は建設間もなく、回送列車の脱線程度で済み、営業列車への被害はありませんでした。

このように日本の新幹線は、主なものだけでも１９９５年の阪神淡路大震災、２００７年の中越地震、更に２０１１年の東日本大震災と大惨事の危機を度々経験してきましたが、いずれも「幸運」と「最悪の事態に備えた精一杯の防御策」が功を奏し、旅客の犠牲者を一人も出さずに済みました。ＪＲ各社の地震安全対策はどちらかと言えば後追いではありましたが、地震時の列車緊急停止システムはもとより、高架橋の橋脚の補強強化策、列車脱線被害を軽減させる装置などをトップダウンのリーダーシップで導入、これらの着実な対策の積み重ねに幸運も味方して、大惨事になるのを辛うじて免れてきたということになります。

しかしこれから東海道新幹線が令和巨大地震の試練を受ける番です。同新幹線は開業から既に半世紀以上経過しております。適宜に設備を改良補強し、車両も更新し進歩しているとはいえ、はっきり言って老朽新幹線の上を時速３００㎞近い高速高密度運転をしているのですから、やはり安全の確保が経営上の最優先課題であることは言うまでもありません。

南海トラフ大地震は歴史的な巨大地震であることと、震源地が近いことなどによる巨大津波の到達の速さなど、過去の経験値だけでなく、人智を超える「想定外事象」が起こることを前提に最悪の事態を想定した安全確保策、減災、避難措置をとらなければなりません。

今建設中のリニア中央新幹線は、最高時速５００㎞の超高速運転と確かな安全運転が絶対的な条件の乗り物ですから、開業早々首都直下地震や東南海地震で、その基本構造に安全上危機的問題が生ずるようでは一大事です。日本列島には中央部分に大きな活断層である中央構造線が走り、その他多くの埋もれた活断層が縦横に走っており、これらが巨大地震に連動して活動すると、致命的な大事故の恐れがあり、リニア新幹線こそ「最悪の事態を想定した最大限の防御策」に万全を期すことが、経営者の最大の使命ということになります。

日本の高速新幹線や超高速リニア新幹線は、青函トンネルや長大な大深度地下トンネルなどを高速ないし超高速で通ることで、既述の大自然の脅威とともに人為的なテロ行為などにも更なる警戒等が必要となり、まさに「最悪の事態に備えた最大限の防御策」が欠くべからざるものとなります。

このような首都を含む国家の主要都市群が広域にわたって、連動して巨大な地震や、噴火などの自然災害を受けるならば、まさに近代国家の国家安全保障の危機となります。人的犠牲や構造物などへの物的被害、生活文化の棄損、莫大な金銭的損害は想像を絶するものとなり、国、自治体、企業や個人の被災の程度、規模など想像もつかず、各自命を守る行動を最優先するしかありません。

２０１１年「３・11東日本大震災」では、東北地方の２万人近い犠牲者の多くは巨大地震に続いて来襲した巨大津波によるもので、巨大津波の前では既存の防波堤は殆ど役に立ちませんでした。自分で判断し、ひたすら逃げることが、唯一のサバイバル策でした。

また、東電の福島第一原発の重大事故の発生も巨大地震によって起きたのではなく、その後の大津波によって全電源が喪失し、原発の制御不能によって発生したものでした。

更に申し上げるなら、東日本大震災は2万人に及ぶ犠牲者を出した大災害でしたが、国民の恐怖は大震災に引き続いて発生した東電福島原発重大事故によって増幅しました。東電が福島の重大事故を防げなかったことによる住民の被害や損害、国家経済に与える影響は長期にわたって深刻なものとなってしまいました。

このように、これから遭遇する首都直下、西日本大震災、富士山などの大噴火に対しては、戦後日本の近代化効率化の国造りそのものが直撃を受け、その反省ないし再考しなければならないことが改めて露《あら》わになると思われます。

我々は、千年に一度の天変地異来襲などを殆ど考慮せずに、過度な首都一極集中、過密人口都市、超高層建物群、ゼロメートル地帯、臨海工業地帯、臨海空港、問題の浜岡原発、東海道新幹線、リニア新幹線などを建設したり、しようとしてきたことです。

大自然災害の手痛いしっぺ返しは東日本大震災では、原子力発電所の過酷事故でしたが、令和大震災ではハイテク近代都市そのものが破壊されるほか、例えば大都市大停電（ブラックアウト）、上下水道、新幹線、高速道路などなど生活基本インフラの被害による生活や交通の破綻、停止の恐れです。また富士山などが大噴火すれば降灰による長期の空港、航空機の飛行停止、コンピュータ障害による大規模な施設、自動車などの機能停止などが予想され、国家レベルで広範にあらゆるものがダウンし何もできなくなってしまいます。

既に2020年初頭から、前年秋の中国武漢発の新型コロナウィルスの世界蔓延を体験し、感染力が強く治療法の見出せない新種の病原体に、近代文明が斯くも無力であるかと、まざまざと見せつけられました。グローバル化をいきなり遮断するかの如く、内外の航空路はことごとく休止、各自の移動は制限され、経済活動は広範にわたって縮小し、復活再開に最低2、3年は要し、簡単には元の生活や経済には戻り得ないことを予感させます。

4 令和大震災後のハイパーインフレの恐怖

令和大震災はハイテク化した近代都市を人類史上初めて直撃する巨大地震であり、それが連動して起こると、その人的、物的、経済的被害は莫大なものとなり、それが国家財政、経済、国民生活に破壊的な影響を与え、国家安全保障は大きく揺らぎ、国民生活は破綻に瀕します。

国は財政破綻状態の上に、震災復興のためには巨額の財政支出と更に大量の国債増発で、生活や企業の救済と復旧、復興を賄うしかありません。

他方、被災により生産力、供給力の落ちている日本経済は、売り上げの蒸発と経済収縮に陥り、税収は極端に落ち込み、あっという間に国も地方も財政は更に悪化します。財政破綻状態の国が大量に発行する国債に、もはや信用力は乏しく、早晩国債の大暴落が引き金となって必然的に激しいハイパーインフレになる恐れがあります。

令和大震災が連動して来襲した後の経済被害として、ハイパーインフレが発生しますと、国の経済運営が破綻し、貨幣価値が著しく棄損し、国民生活が途端に成り立たなくなります。これは「現在のデフレのぬるま湯が、突然インフレの熱湯に変わる」ようなもので、生活は破綻し、特に数千万人の被災者や３６００万人に及ぶ高齢者の生活は、インフレよって行き詰まってしまいます。

ちなみにハイパーインフレは、日本では１９４５年のアジア太平洋戦争敗戦直後の国家財政破綻時に起きています。終戦時の１９４５年から１９４９年月までの４年間の物価高騰は、卸売物価ベースで約70倍とされ、いわゆるハイパーインフレになりました（伊藤正直『戦後ハイパーインフレと中央銀行』）。

また、戦前の１９３４～３６年に対し、戦後の１９５３年までの全体の消費者物価の上昇は、旧総理府統計局の統計によれば、平均で２８６・2倍に上がったとされております。

(1) 財政再建先送りの罠

日本でハイパーインフレが起こるとすれば、コロナ禍大不況を経て、世界で日本だけが蒙る大震災の甚大な人的被害、経済的被害を契機に国債の暴落、金利の上昇、大幅円安、物価の高騰という経済激変の中で発生すると思います。

ただし、根底に国家財政運営に対する信頼度の問題があり、この約20年間のように財政再建目標を悉《ことごと》く先送りして、今後も「基礎的財政収支の改善」など行財政改革に本気で取り組む姿勢が殆ど見られないとすると、ハイパーインフレを回避することなど到底できず、残念ながら運命的、破局的なハイパーインフレに突入する危険が高くなります。

i　財務省は2000年度から日本財政状態の現状を示す国の貸借対照表を発表しています。2020年3月にまとめた国の財務書類によりますと、2018年度末の国の貸借対照表は、資産合計674・7兆円、負債合計1258・0兆円で、資産・負債差額はマイナス583・4兆円でした。

決算初年度（1998年度）の資産・負債差額245・2兆円に比べ、2018年度は2倍以上の悪化となっています。企業会計的に見ると、いわば債務超過の状況で、国家財政が債務超過583・4兆円というのは殆ど回復不能の破綻状態です。仮に年5兆円ずつ赤字の解消をしても、116年もかかるからです。

債務超過額583・4兆円は、累積赤字額でもありますが、おおむね特例国債576・5兆円等をもって充てられ、財政赤字を借金で埋めてきました。

これは国家財政において、1965年以降「歳入をもって歳出を賄う」という原則が崩れ、赤字を借金である国債の発行で穴埋めしたものが、たまりにたまって特例国債で583・4兆円となったものです。その結果、国の借金は、2019年3月末では建設国債、特例国債と政府短期証券などを合わせまして、総額1103兆円にもなりました。

ii 直近の2020年度一般会計の第一次補正予算後の歳入歳出収支を見てみましょう。

歳入63・5兆円（租税等63・5兆円）、歳出128・3兆円（主なものは、社会保障費36・7兆円、国債費23・4兆円）、赤字額64・8兆円は、特例国債など、公債金58・2兆円などで埋め合わせています。

更に2020年7月のコロナ禍関連予算を織り込んだ第二次補正後予算で見ますと、歳入63・5兆円、歳出160・3兆円、赤字額は96・8兆円に膨らみました。歳入と歳出の差、通称鰐の口が大きく開き、特例国債発行は71・4兆円と異常事態になっています（図表1一般会計における歳出・歳入の状況、広がる「鰐の口」）。

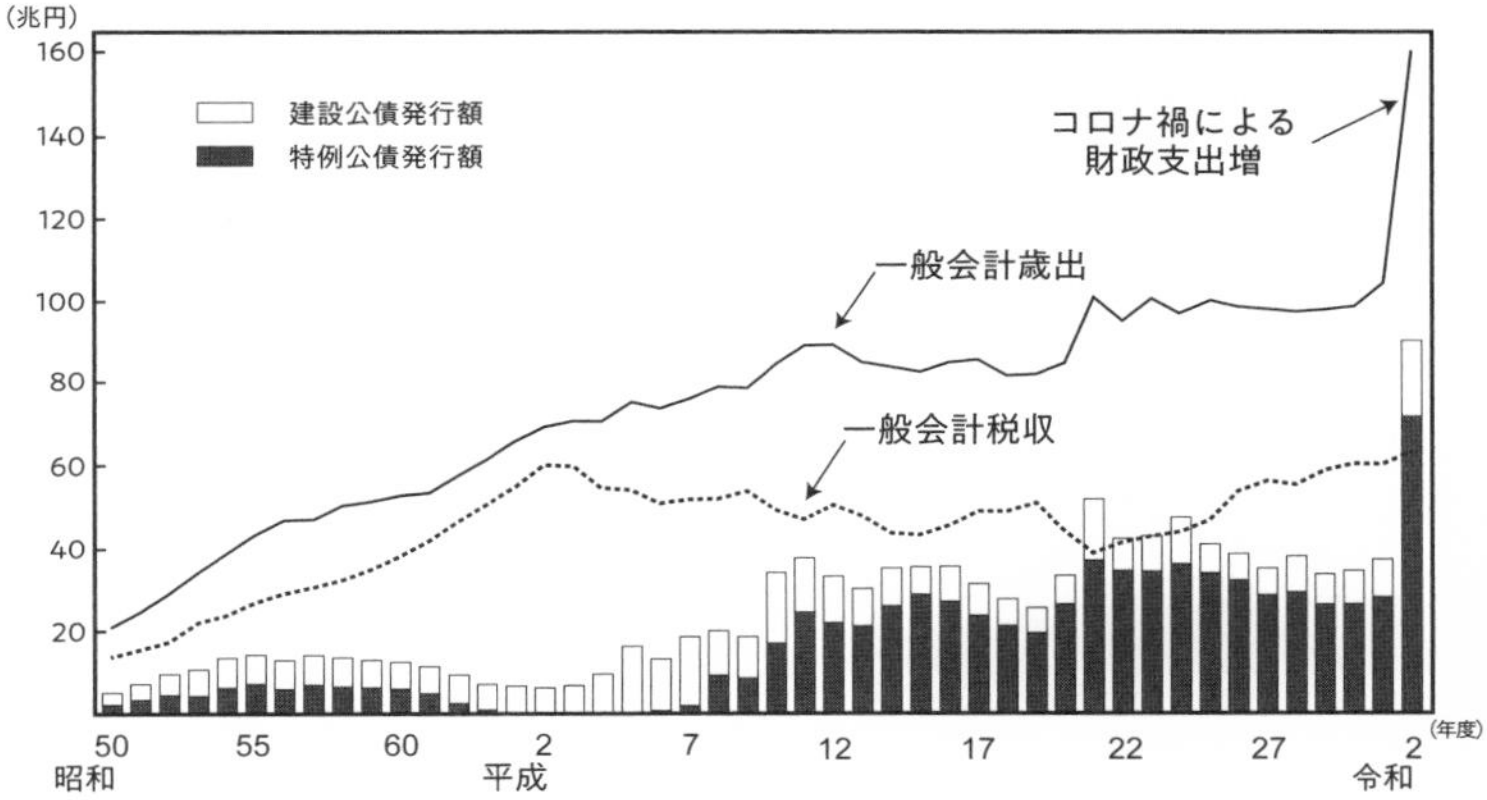

図表1　一般会計における歳出・歳入の状況、広がる「鰐の口」
（財務省資料から作成）

iii　国家財政状態が、会計的には殆ど回復不能であっても、国は自ら破産するわけには参りません。国は財政再建達成の強い意志を持ち続け、最低限実行すべきものは速やかに成し遂げ、国家財政の信頼性を維持しなければなりません。国が、必ずやり遂げなければならない財政再建の前提条件は、一般会計における「基礎的財政収支を均衡させること」となっています。

国家財政は1992年以降、累増した国債費などの借金部分を除いた歳入、歳出、いわゆる「基礎的財政収支」（プライマリーバランス）までも赤字となり、ずっと赤字続きで、一度たりとも借金の残高を減らすことなく今日に至っております。

2020年度でこの一般会計補正予算後の財政健全度を示す「基礎的財政収支」は、歳入約63・

5兆円、基礎的財政収支対象経費約104・8兆円で、基礎的財政収支赤字額は約41・3兆円に広がっています。新型コロナ対策予備費15兆円の積み増しなどがありますが、基礎的財政収支は一段と悪化し、今やその回復は容易ならざる事態です（なおコロナ禍対策を更に講じた2020年の第二次補正後の、基礎的財政収支の赤字額は72・7兆円に膨らんでしまいます）。

iv 基礎的財政収支の黒字化の達成目標は、2001年誕生の第一次小泉内閣以降、第一次安倍内閣、福田内閣が2011年を達成期限と定めました。しかしそれが実現されることはなく、その後もずっと目標年度の先送りをし続け、2020年、2025年の達成目標も延伸し、第二次安倍内閣は、更に2027年に先延ばししました。

1年でも早く実現すべき国債費等を除いた基礎的財政収支（プライマリーバランス）の改善を16年も先送りする間に、社会保障費が36・7兆円に増加し赤字が拡大しました。2019年に消費税を8％から10％に引き上げるのがやっとで、身を切る行政改革など財政再建意欲は殆ど見られず、国家財政の信頼度を低下させながら、運命の令和大震災を迎えることとなるわけです。これが我が国の「財政再建先送りの罠」の危険で、令和大震災後のハイパーインフレの本当の原因となるのではないかと思います。

そもそも、この基礎的財政収支を、増税と行政改革でやり遂げることは、国の財政基盤をより確かなものにする第一歩であるともに、今後の日本の少子高齢化時代に増嵩する社会福祉費を捻出するにはこれ以外に方法はなく、先送りは決して許されない筈のものです。

ところが、近年、我が国の「財政再建先送りの罠」そのものと言っていい国家財政の新理論が登場してきました。２０１９年7月に、アメリカニューヨーク州立大のＳ・ケルトン教授が来日し、ＭＭＴ論（現代貨幣理論・Modern Monetary Theory）という新理論を披露し、その考え方が日本で急速に広まりました。「ＭＭＴ理論・（現代貨幣理論）」は「自国通貨建ての国債はデフォルトしないので、インフレにならない限り、いくら発行しても財政破綻はしない」という考え方であり、財源として税金よりも新規国債発行を重視しています。確かに自国の中央銀行に国債を直接引き受けさせれば、自国通貨建ての国債をいくら発行しても、デフォルト（債務不履行）しません。しかしこれを実行すると、政府の裁量で通貨を発行し放題になり、インフレになる恐れは十分あります。

財政破綻はなくとも、国債の大量発行で国債バブルが崩壊すれば、インフレが止まらなくなり、ハイパーインフレは起こり得るということです。ＭＭＴ理論の実行は、財政破綻の特効薬にはなっても、インフレ防止には役立たず、ハイパーインフレの恐れは残ったままです。

日本においては、実はＭＭＴ理論は政府日銀が、既に事実上実践済みで、ＧＤＰの2倍に相当する国債を発行しても、デフォルトも財政破綻もしていないのです。ＭＭＴ理論は日本の実験例を理論化したものに過ぎないとも言えます。

ＭＭＴ理論は、実は何も新しいことは言っていないようで、２０２０年に入って世界がコロナ禍における経済対策として、アメリカをはじめ各国が途方もない金をバラ撒いていますが、これらの多額の財政出動を正当化するには格好の理論となりました。しかしその先に起こる問題については不明のままです。

問題は、政府財政当局は、表向きにはこの新錬金術ともいえるＭＭＴ理論に批判的な姿勢を示しているようですが、国家財政、特にプライマリーバランス（基礎的財政収支）が何時までも改善されずに国家財政が悪化の一途をたどると、ＭＭＴ容認論に転換し、国債を無限に発行し続ける「財政再建先送りの罠」にはまる恐れがあるのです。

しかし、本来あるべき財政政策としては、国家財政がこの度のコロナ禍等によって殆ど回復不能の破綻状態に悪化するとしても「ＭＭＴ理論」や「財政再建諦《あきら》め論」という「財政再建先送りの罠」に陥ることとなく、令和大震災等でさらに巨額の国債を増発しても耐えられる、あらゆる国家財政基盤の健全化策を模索、実行し続けて欲しいものです。

(2) 令和大震災後のハイパーインフレを俯瞰《ふかん》する

こうして回復不能の財政破綻状態、1000兆円超の国債大発行の日本に、更に膨大な財政支出を伴う東日本大震災の10倍以上と言われる首都直下、西日本大震災が連動して起これば、日本は、更なる国債の大増発となります。

一般社団法人ジャパン・リスク・フォーラム会長国際大学特任教授有吉章氏の講演「巨大地震・国債暴落のトリガーとなるか」（第98期一橋フォーラム21、2018年11月20日）を参考に考察しますと、残念ながら史上最悪の「令和大震災ハイパーインフレ」の起こる危険性は、いよいよ避け難いように思います。

令和大震災、その直接、間接の被害総額は、図表2 日本を襲う巨大地震の被害想定（内閣府、土木学会）の通り大変な金額です。

内閣府想定の被害額は直接、間接被害（5年間の被害累計額）を合わせ首都直下型地震で95兆円、南海トラフ地震で215兆円、合計で約310兆円に及びます。

土木学会は「国難をもたらす巨大災害対策についての技術検討報告書」（2018年6月）で地震発生から20年間の経済被害、例えば交通インフラが寸断されて工場などが長期間止まることにより、国民所得や税収が減少する金額なども損害額として積算し、首都直下型地震で直接被害47兆円に、20年間の財政的被害を含む経済被害を808兆円を加えて、計855兆円と推計しています。

また南海トラフ地震で直接被害170兆円に、20年間の財政的被害を含む経済被害1371兆円を盛り込みますと、計1541兆円という莫大な額になります。

そうすると、20年間の、首都直下地震の被害合計855兆円と南海トラフ大地震の1541兆円を合わせた全体の被害総額は2396兆円という巨大な金額となります。

実際には、巨大震災によって、土木学会積算のような膨大な損害が発生し、多額の復旧復興費用の財政支出が必要となるわけです。

他方、被災した多くの企業や個人は資産の損傷や滅失により、生産力の低下や資産、所得の減少をきたし、収益や所得が大幅に減少してしまいます。そうすると国の歳出は復旧復興で増大する一方で、企業や個人の所得減で税収は大幅に減少、国家財政赤字は更に拡大し、いよいよ国債の大増発に拍車がかかります。

首都直下、西日本大震災の具体的な復旧復興の国債の予測発行額は、本来は土木学会の被害総額をベースに災害復興のための国の予想財政支出を推計すべきかもしれません。今回は内閣府の被害総額310兆円をベースに、実際の東日本大震災での26・3兆円（5年累計）の財政

		直接被害	間接被害（財政的被害）	被害合計	財政支出	人的被害
首都直下大地震	内閣府	４７兆円	４８兆円	９５兆円		死者 2.3 万人
	土木学会		７３１（７７）兆円	８５５兆円		
西日本（南海トラフ）大地震	内閣府	１７０兆円	４５兆円	２１５兆円（含財政的被害）		死者 32.3 万人
	土木学会		１２４０（１３１）兆円	１５４１兆円（含財政的被害）		
首都直下・西日本大地震合計	内閣府	２１７兆円	９３兆円	３１０兆円	（推計額）300 兆円超（5 年累計）	死者合計 34.6 万人
	土木学会		１９７１（２０８）兆円	２３９６兆円（含財政的被害）		
（参考）東日本大震災（内閣府）（2011 年３月）		16.9 兆円	6.3 兆円～11.3 兆円	23.2 兆円～28.2 兆円	26.3 兆円（5 年累計）	1.8 万人

図表 2　日本を襲う巨大地震の被害想定
（内閣府、土木学会のデータをもとに筆者作成）

1. 首都直下大地震、西日本大地震想定は内閣府（中央防災会議）、土木学会の想定額
2. 間接被害とは生産低下等の被害で、内閣府想定は 5 年間、土木学会は 20 年累計額となっている。（財政的被害）は税収減で、別計。
3. 財政支出推計額 300 兆円超は、首都直下＋西日本大地震被害合計額 310 兆円（内閣府）に対して、東日本大震災財政支出 26.3 兆円（国、5 年累計）を実例に推計した

支出を基に想定すれば、その金額は東日本大震災の10倍を超える約300兆円超になると想定されます。

コロナ禍による大不況に引き続いて、世界中で日本だけが更に令和大震災で莫大な経済被害を受け、その復旧復興のために国は多額の国債を発行する必要があるわけですが、恐らく約1000兆円の既発国債に更に300兆円超の大量発行ということになりますと、巨大地震を契機とした信用不安の高まりから国債が暴落、それに続いてハイパーインフレが起こる危険性が高まります。

ハイパーインフレは、債権者と債務者が逆転する最悪の事態発生でもあります。多くの国民がほぼ無一文になり、高齢者をはじめ健全な国民債権者が生きるか死ぬかの瀬戸際に立たされるのです。太平洋戦争敗戦時のように短期間に物価上昇が100倍にもなるハイパーインフレでは、営々と貯めこんできた国民の富が蒸発してしまい、国民生活は破綻します。

インフレ時代を生き伸びるには、ゼロからの頑張りしかないのですが、高齢者には、心身ともその力は乏しく、過去の貯蓄や保険と年金が頼りでは何ともなりません。それがインフレで奪われては、もはや生きる術はなく、万事窮することになります。

1800兆円といわれる国民の金融資産と高齢者の年金など社会保障債権が、紙くず同様消滅し、経済的に丸裸になってしまいます。1945年の敗戦後のインフレ時と同様、そこから塗炭の苦しみが始まり、復活できずに終わるわけです。

他方、財政再建を先送りしてハイパーインフレの引き金を引くであろう債務者たる国は、1000兆円を超える巨額の累積債務が、インフレによってほぼ帳消しとなり、財政再建達成という僥倖《ぎょうこう》に恵まれることになります。何ともおかしな話ですが、これが令和大震災ハイパーインフレ発生の場合の厳しい現実です。

そして、発生したハイパーインフレは早く収束させ、沈没していく日本経済は国際競争場裏に復帰しなければなりません。そのためにはアジア太平洋戦争後の預金封鎖、新円切り替えと同様の冷酷な金融措置が待っているかもしれません。まさに国民生活の安全保障の崩壊ですが、それは第Ⅵ章2「新型コロナ禍、令和大震災、ハイパーインフレの三重苦を回避できるか?」で述べます。

何とか令和大震災の来襲前に、先送りすることなく本気になって国家財政の健全化として、せめて単年度基礎的財政収支の歳入歳出の均衡ぐらいは回復し、防災減災に努め、震災被害、経済被害を最小限に抑えて、国民生活を窮地に陥れるハイパーインフレの未然防止にあらゆる政策を模索し実施して欲しいものです。

第Ⅱ章　「安全神話の罠」、国家崩壊の危機だった東電福島原発重大事故

1 迫真の事実、東日本壊滅

２０１１年3月11日東日本大地震が発生し、大津波も押し寄せ、東北から関東にかけて沿岸部を中心に壊滅的な被害を受けました。死者行方不明者約2万人、直接間接被害額約24兆円に及びました。

ところがこの時、技術先進国を自負する日本でよもやの原子力発電重大事故が起きてしまいました。東京電力福島第一原子力発電所は東日本大地震を感知し、1号機から3号機の運転中の原子炉はいずれも緊急停止し、炉心冷却装置は働き出しました。しかし続いて襲ってきた大津波によって、海岸よりの電源設備や非常電源燃料タンクなどが浸水流出し、全電源を失いました（この時、原子力発電所にとって安全確保の第一番目の原子炉を「止める」ことはできましたが、二番目の炉心を「冷やし続ける」ことが全電源の喪失で出来なくなりました。従って三番目の放射能を「閉じ込める」もできなかったのです）。

その結果、原子力発電所の原子炉の「冷やす、閉じ込める」という絶対条件の制御機能が全て失なわれ、3月11日深夜1号機、13日午前3号機、14日夜2号機の順に冷却機能が消失、遂に炉心溶融のメルトダウンというように、事態は深刻化していきました（図表3 東電福島第一原発事故の推移 参照）。

	3月11日		12日	13日	14日	15日
1号機	東日本大地震・津波	全電源喪失 メルトダウン 冷却機能消失	水素爆発			
2号機		全電源喪失	①（RCIC 非常用冷却装置作動）→		メルトダウン 冷却機能消失	② 放射能漏出 配管、蓋から ＝（ベントと同結果）
3号機		全交流電源喪失		メルトダウン 冷却機能消失	水素爆発	

図表3　東電福島第一原発事故の推移
偶然と幸運に救われた原発大爆発

3つの偶然と幸運（①、②・2号機、③・4号機）
① 全電源喪失後14日午前まで続いたRCIC冷却継続の奇跡
② 3月15日朝配管のつなぎ目や蓋の部分から放射能大漏出
③ 4号機1500本もの燃料プールに原子炉ウェルから流入水

以下では畑村洋太郎・安部誠治・淵上正朗『福島事故はなぜ起こったか』（講談社）、『福島第一原発事故7つの謎』（NHKスペシャル・メルトダウン取材班、講談社）などに基づいて、あわや東日本壊滅の緊迫の場面を紹介していきます。

世界の原子力発電事故としては1979年米国の「スリーマイル島事故」（国際原子力事象評価レベル5）や1986年の旧ソ連の「チェルノブイリ事故」（同評価レベル7）などが知られています。これらは、いずれも原子炉単基の事故であったのに対し、福島第一原発の場合は、3機の原子炉が相次いでメルトダウンしたという点で、世界の原子力発電史上最悪の重大事故でありました。それは、運転中の1号機から3号機まで3つの原子炉が電源を喪失し、次々と冷却機能を失い、メルトダウンしたもので、想像を絶する事態に、発電所の関係者は、皆、言葉を失いました。

東電福島第一原発の吉田昌郎所長は、「これまで想定してきたあらゆる過酷事故をはるかに超える事態が発生したことが分かり、とっさに何をすべきなのか思いつかなかったが、先ず法令に基づき、全交流電源喪失という事態の発生を官公庁等に通報した」(『福島第一原発事故7つの謎』)と述べています。

続いて1号機、3号機、4号機も原子炉建屋が水素爆発し放射能が漏洩《ろうえい》、がれきが散乱、骨組みもむき出しになって、危険な姿をさらしましたが、このとき最大の危機にあったのは、実は2号機でした。

2号機は、地震後最大15mの津波の到来とともに、すべての電源を失い最も過酷な状況にありました。更に、1号機、3号機の建屋の水素爆発の影響もあり、最後の手段とされる格納容器減圧のためのベント作業(放射能の被爆を覚悟で圧力を抜く作業)も困難で、いくら試みてもできませんでした。実際は細々と動いていた非常用冷却装置(RCIC)の稼働状況もわからず、制御不能の状況下、原子炉ないし格納容器の高温、高圧化が進行しました。最後にSR

弁という原子炉の圧力を格納容器へ逃がす操作を行いましたが、これも成功しませんでした。全く操作できないまま史上最悪の原発大爆発事故の恐れが高まっていました。

２０１１年3月14日正午過ぎの頃でした。このままでは、２号機大爆発、総員撤退、続いて1号機、３号機の大破壊はもとより、４号機の巨大な燃料プール崩壊の恐れもあり、文字通り東日本壊滅の恐怖が迫っていました。

吉田昌郎福島第一原発所長に「死ぬかと思った」と言わしめた、福島第一原発事故最大の主戦場は2号機でした。その間の吉田所長のやり取りを、前掲『福島第一原発事故７つの謎』により再現させていただきます。

○ 吉田所長の調書より、３月14日夜から「運命の１日」

問題の2号機は、細々と動いていた冷却機能も14日正午には止まり、炉心の損傷率がぐんぐん上がる中、格納容器のベントもできず、圧力は依然高いままで、いよいよ最後の砦の格納容器からの放射性物質の大量放出が、現実味を帯びる状態に達していました。

「何せ焦っていたんで早く減圧させろと。私自身パニックになっていました」。

「完全に燃料露出しているにもかかわらず、減圧もできない、水も入らないという状態がきましたので、私は本当にここだけは一番思い出したくないところです。（略）ここで本当に、死んだと思ったんです」

「これで2号機はこのまま水が入らないでメルトして、完全に格納容器の圧力をぶち破って燃料が全部出ていってしまう。そうすると、その分の放射能が全部外にまき散らされる最悪の事故ですから」

「そうすると1号機、3号機の注水も停止しないといけない（略）ここから退避しないといけない」

「燃料が溶けて1200度になりますと、何も冷やさないと、圧力容器の壁抜きますから、それから、格納容器の壁もそのどろどろで抜きますから、チャイナシンドロームになってしまうわけですよ」

「燃料分が全部外へ出てしまう。プルトニュウムであれ、何であれ、今のセシュウムどころの話ではないわけですよ。（略）放射性物質が全部出て、まき散らしてしまうわけですから、我々のイメージは東日本壊滅ですよ」

現場の吉田昌郎東電福島第一原発所長は、2号機格納容器の高圧大爆発、総員退避、注水不能、1、3号機大破壊、4号機の燃料プール破壊……更には制御維持されていた福島第2発電所にも崩壊が飛び火する福島原発全体の最悪の事態を覚悟し、自らの死も覚悟したようで、「東日本壊滅」の恐れは、正真正銘、迫真の事実でした。

事故から1年余後、門田隆将氏は、食道癌手術後の吉田所長に、福島第一原発「最悪の事態」を取材し、著書『死の淵を見た男』（ＰＨＰ研究所）で次のような話を紹介しています。

「格納容器が爆発すると、放射能が飛散し、放射線レベルが近づけないものになってしまうんです。ほかの原子炉の冷却も、当然、継続できなくなります。つまり人間がもうアプローチできなくなる。

福島第二原発にも近づけなくなりますから、全部でどれだけの炉心が溶けるかという最大を考えれば、第一と第二で計10基の原子炉がやられますから、単純に考えてもチェルノブイリ×10という数字が出ます。私は、その事態を考えながら、あの中で対応していました。だからこそ、現場の部下たちの凄さを思うんですよ」

「最悪の事態とは、『チェルノブイリ事故×10』だった─吉田は、そうしみじみ語った」と。

○更に、門田隆将氏は、同著で、この吉田発言を受けた班目《まだらめ》春樹原子力安全委員長（当時）の驚くべき話を紹介しています。

「吉田さんはそこまで言ったんですか。私も現場の人たちには、本当に頭が下がります。私は最悪の場合は、吉田さんの言う想定よりも、もっと大きくなった可能性があると思います。近くに別の原子力発電所がありますからね。福島第一が制御できなくなれば、福島第二だけでなく、茨城の東海第二原子力発電所もアウトになったでしょう。そうなれば、日本は三分割されていたかもしれません。汚染によって住めなくなった地域と、それ以外の北海道や西日本の三つです。日本はあの時、三つに分かれるギリギリの状態だったかもしれないと、私は思っています」

○当時菅直人首相も3月15日午前5時35分、東電本社に乗り込み次のように演説しています。

船橋洋一『原発敗戦』（文藝春秋）

「今、福島第一から撤退すれば、1号機から4号機、5，6号機まで全部爆発する。福島第一原発だけでなく福島第2原発も爆発する」、「これらを放棄すれば、何か月かのちには全ての原子炉と使用済み燃料プールが崩壊して、放射能を発することになる」、「日本の領土の半分が消えることになる。日本の国が成り立たなくなる。何としても命がけでこの状況を抑え込まないといけない」、「君たちは当事者なんだぞ、命を懸けてくれ」

このように政府もこの運命の日を勝負の分かれ目とみていました。

門田氏の『死の淵を見た男』によると、菅元総理は当時の状況を次のように語っています。

「近藤さん（注＝近藤駿介・内閣府原子力委員会委員長）が試算したのは、（避難対象が）二百五十キロメートルですよ。これは青森を除いて、東北と関東全部と新潟の一部まで入ってしまいます。そうなったら、どうなるのか。二百五十キロメートルというのは、人口五千万人ですからね。だから、放置したら、そういうことになるんだ。何としても止めなきゃいかん、と思いましたね」

日本で史上初めての５０００万人に避難命令を下さざるを得ない破滅の瞬間が、刻々と迫っていました。

2 偶然に救われたが、最悪「チェルノブイリ事故×10」

ところで、理由は今もって定かではありませんが、問題の福島第一原発2号機の原子炉、格納容器大破壊は、まったくの「偶然と幸運」で避けられました。2号機格納容器の一部のつなぎ目などから、放射性物質が漏れ出し、かなりの漏洩はあったものの、チェルノブイリ原発事故の10分の1程度で済み、国家自滅という最悪の事態をまぬかれ、日本国はまさに天運に救われたのでした。

i「2号機大破壊回避の偶然と幸運」の一つは、冷却装置RCICが奇跡的に3月14日昼まで動いてくれたことです。2号機は津波の到来とともに全ての電源を失い最も過酷で危険な状況でした。にもかかわらず、2号機で唯一残った冷却装置RCICは、細々と冷却機能を維持していたことが後でわかりました。

地震発生直後、2号機の運転員が、電源の落ちる数十秒の寸前、冷却装置の操作レバーを起動していたのが奏功したようで、全電源が失われた状態でも冷却装置が奇跡的に震災後3日間持ちこたえてくれました。この間2号機の格納容器の爆発は免れました。

しかし2号機の冷却装置も14日午後には止まり、原子炉、格納容器とも圧力が高まり、ベントをして減圧しないと消防車の注水ができないのですが、1号機に続いて3号機の建屋でも水素爆発があり、最後まで、ベントができません。

吉田所長が最も恐れた大爆発、チャイナシンドローム、東日本壊滅へと破局が迫っていました。

ii 吉田所長以下総力で格闘していた2号機格納容器は、ここで意図せざる放射能の漏洩放出で収束に向かい、大爆発はまぬかれるのでした。「偶然と幸運」の二つ目です。

東電現場の最大限の努力とは無関係に、15日になって偶然と幸運にも「圧力に耐えきれなくなった格納容器のつなぎ目が壊れたり、蓋の部分に隙間ができたりして、断続的に放射能が漏れ出したのではないかとみられている」（前掲『福島第一原発事故7つの謎』）。

これはベントと同じ結果となり、決定的な格納容器の破壊を免れたのでした。

iii また定期点検中の4号機の使用済み燃料プールには、1500本に及ぶ使用済み燃料棒が水中保管されていましたが、水位低下による露出、溶融、大破壊の恐れは、壁一枚隔てた原子炉ウェルに張られた水が偶然にも燃料プールに流入する幸運に恵まれ、その後の放水処置によって最悪の事態を免れました。これは福島原発大破壊を免れた三つ目の偶然と幸運でした。

もし吉田所長が覚悟した2号機格納容器が3月15日に爆発し、現場放棄、1、3号機崩壊、

4号機燃料プールも崩壊し、福島第二原発にも及ぶと、人類史上最悪の10基の格納容器等が爆発事故に至ります。福島第一の6機と第二の4機、併せて10機の原子炉格納容器が爆発すると「チェルノブイリ原発事故×10」というとてつもない大きな被害が想定され、首都圏を含む東日本は大量の放射能の飛散汚染で人の住めない地域となり壊滅していたと思います。

国際原子力機関（IAEA）は、チェルノブイリ原発事故の飛散放射能は広島に投下された原子爆弾の400倍と推定しています。もし福島第一原発、第二原発が合わせて大爆発となれば単純に計算して「チェルノブイリ×10」で、広島型原発を4000発炸裂させた程の放射能に覆われたおそれがあったということになります。

それほどの大量の放射能汚染が首都圏を含む東日本に広がるならば、そこにはほぼ半永久的に人が住めなくなります。近藤駿介元内閣府原子力委員会委員長の試算によると「避難指示区域は半径250㎞の範囲で、青森県を除く東北地方から新潟県の一部を含み東京都、神奈川県まで、居住人口で5000万人に及びます」（図表4 1都13県 5000万人に及ぶ避難指示とは！ 参照）。

従って、福島の原発事故による東日本壊滅によって失われるのは、直接的に約5000万人の生活、東日本の土地、建物、各種構造物、交通施設、学校、病院などの放棄、各種システムなど有形無形の総資産の放棄、消失などです。しかも国家、自治体、法人などの統治機構や経

やはり必要だった核シェルター装備

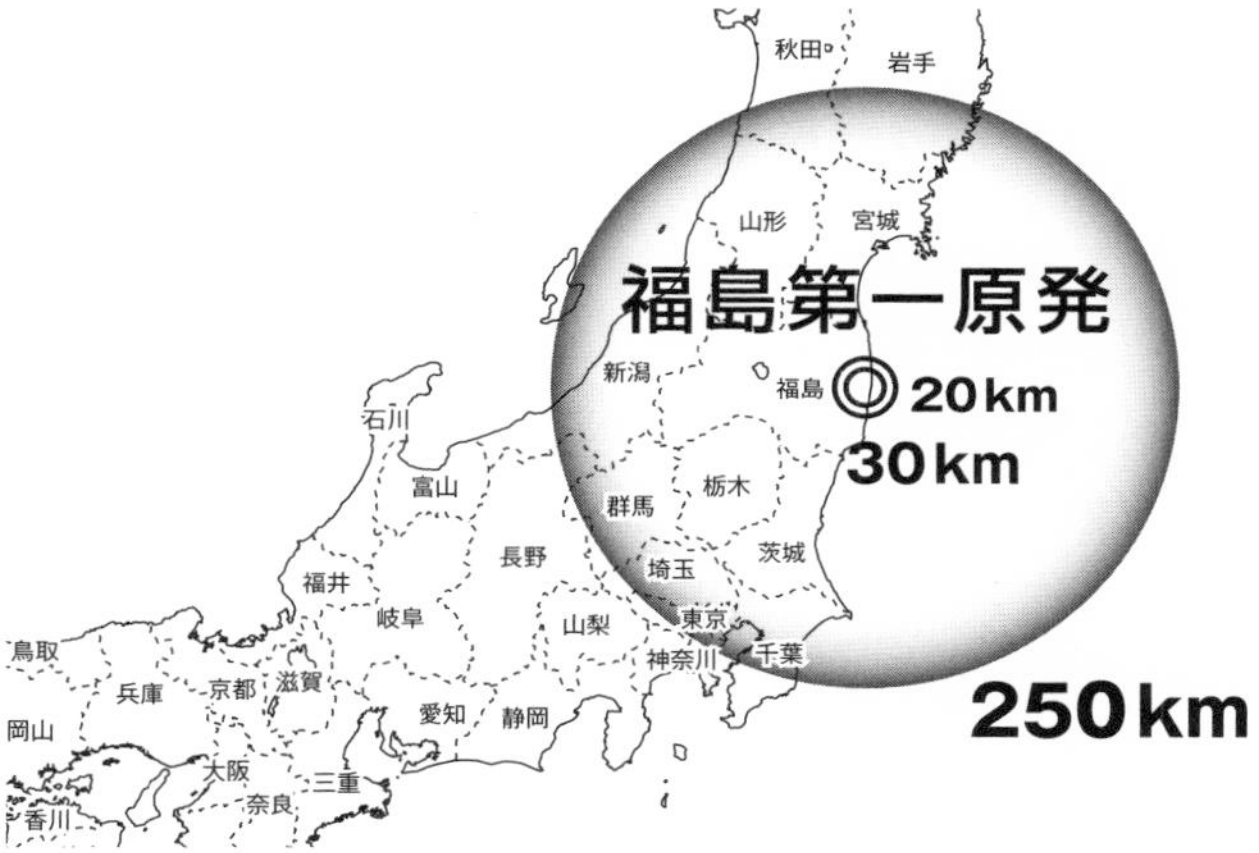

図表4 1都13県5000万人に及ぶ避難指示とは！

営体中枢組織の停止、国家財政破綻、各種法人、企業の破綻、農水、商工業、保険などの破綻、国民生活、経済社会活動など全てにわたり、国家が壊死《えし》状態になります。

さらに、5000万人もの避難は困難を極め，核シェルター装備は必要だったということになります。

ここで問題は、技術先進国の日本で、何故「東日本を壊滅せしめるような原発重大事故」が起きてしまったのか？ しかも、我が国を代表するエクセレントカンパニーの東京電力で？ ということと、日本は世界唯一の被爆国で核の脅威を知りながら、国民の命を守る最後の砦となる核シェルターの装備率が何故ゼロに近いのか？ ということです。

それは、いずれも、国も東電も平和憲法と「原発安全神話の罠」に嵌《はま》ってしまい、原発重大事故防止と国民の安全確保に対し思考停止になっていたからではないでしょうか。

国も事業者も国民も、長く続く戦後の平和で平穏な日本にあって「原発は絶対安全」を盲信し平和ボケ、安全神話ボケになり、想定外の天変地異やテロ、戦争などの危機に備える防備の精神を無くしてしまったように思います。

この重要な疑問に、ここで即座に明確な答えを出すことはちょっと難しいかもしれませんが、少なくとも現在の日本は、「原発の安全神話の罠」の危険をはじめとして、経済活動や資本の「グローバル化の罠」など多くの危険が目白押しで、これまでの「国や事業者の安全論」や「国家的防備不足」の現状では、国民生活の安全確保、国家安全保障はままならず、「危うい国、日本」そのものです。

実は、日本は21世紀直前、1995年の阪神淡路大震災の頃から既に「危うい国に」なりつつあり、我々は「安全神話やグローバル化に潜む罠」に備えて、「最悪の事態を想定しながら最大限に防備し」、国家崩壊を避ける有効な対策を立てる必要性が出ていたのです。

このことは、本書の最大のテーマとなっておりますので第Ⅵ章「国家崩壊4大危機克服に挑む」で詳述しますが、日本はこのような重大なリスクに対する守りを格段に強化しないと、東電福島原発重大事故発生のように、平和のまま国家が防備不足の罠に嵌る形で、自滅してしまいます。

東日本壊滅というような最悪の事態は、単なる偶然で免れました。しかし、相次ぐ原発のメルトダウンと、1号機、3号機、4号機の建屋が水素爆発し、2号機からの放射能漏洩被害などが発生、福島県で原発事故関連死1368人（2016年3月6日東京新聞）、16万人余の方々が避難することとなりました。

取り残された破壊原発の収束廃炉、その他原発の廃炉、核廃棄物処理、核汚染水処理などに、途方もない年月と、どのくらいコストがかかるか？　21兆円などといわれていますが、正直な計算は誰もしておりません。

この国家的巨大にして巨額の負の遺産の悪影響は、ほぼエンドレスとみるべきで、今後の日本のエネルギーコストの長期高止まり、環境汚染問題などで、日本経済と国民生活に致命的な負担となり続ける恐れがあることを忘れてはなりません。

3 「安全神話の罠」に嵌《はま》った東電と「国家安全保障」

絶対に起こしてはならない東電福島第一原発重大事故でしたが、その重大事故原因につきましては「全電源喪失の可能性を全く考えず、想定外にしていた」ことにあるようです。これについて専門家の見解は、淵上正朗、笠原直人、畑村洋太郎『福島原発で何が起こったか 政府事故調技術解説』（日刊工業新聞社）によれば、主要原因は二つに絞られます。順を追ってご紹介します。

(1) 全電源喪失の可能性を全く考えていなかったこと

「原子力委員会による安全設計審査指針の見直し」（1977年6月）で、こともあろうに、原子力発電所における「全電源喪失の可能性」をわざわざ否定しているのです。

「原子力発電所は、短時間の全動力電源喪失に対して、原子炉を安全に停止し、かつ、停止後の冷却を確保できる設計であること。ただし、高度の信頼度が確保できる電源設備の機能喪失を同時に考慮する必要はない。

長期間にわたる電源喪失は、送電系統の復旧または非常用発電機の修復が期待できるので考慮する必要はない」（傍線は原資料の赤字部分。以下略、なお原子力安全委員会は、1978年に原子力委員会から分離し発足しています）。

「しかし、現実に今回の事故で致命的だったことは、配電盤などの配電系が、浸水というたった一つの原因で事実上（全電源が）全滅したことであり、『電源単体』の問題ではなかったのである」と述べています。

そうしますと、本件致命的事故の最大の問題は、

i 原子力委員会も東電も「全電源はシステム上守られているから、その喪失は考えなくてよい」と安易に言い切ってしまい、

ii 「電源確保に最大の注力をすべきこと」も、「万一全電源喪失の場合の対処法」も全く思考停止で考慮されていません。

iii その結果、津波の来襲で、配電盤の浸水があり、全電源が失われ、電源喪失時のマニュアルも何もなく、お手上げとなり、「偶然と幸運」に、東日本壊滅か否か運命を託すしかなかったということになります。

本来、原子力委員会は原発運転に当たり国家安全保障上の観点から「原発電源の確保に対する周到な努力の要請」をすべきところ、「信頼度が高いから全電源喪失は考慮しなくていい」などと電源確保の信頼性を過信した指導をしてしまいました。

また、東電は「電源確保努力に最大限の注力の上、万一の全電源喪失＝冷却不能の場合のマ

ニュアルの用意」をしておくべきだったのに、それが出来ていませんでした。原発の電源確保のシステムがいくら良くできていても、万一に備えて「配電盤」が水に浸からないように、地下ではなく気密性のある地上設備においておくとか、全電源喪失時のマニュアルを用意し、日常の訓練の中でベント操作や給水訓練をしておけば、事故の過酷化は防げたということです。行政も電力会社も原発の営業運転に当たり、「原発安全神話の罠」に嵌《はま》り、国家安全保障上の安全確保の基本理念を欠いていたと言わざるを得ません。

(2) 津波の高さの予測の失敗

政府事故調解説者の淵上正朗氏は「日本での津波の歴史上の最大高さは85m、世界では450m、前者は江戸時代石垣島における津波で、後者はアラスカのリツヤ湾という狭い湾に氷河の末端が崩れ落ちたときの津波」であると、紹介しています。

それはともかく、東京電力は過去の明確な記録のある津波のみを検討対象としていたため、福島第一原発は海面から10mの高さに主要設備を配して、津波の想定高さを5・7mあるいは6・1m程度に想定しました。ところが実際の津波の高さは15mと想定外だったため、事故は不可抗力、と言っていました。

これに対し、同様の津波に襲われた東北電力の女川原発は海面から14・８ｍの高さに位置して９・１ｍの津波を想定していました。結果はほぼ同じ15ｍほどの津波に襲われても、女川原発は無傷で正常運転を継続できました。津波に対する備えの問題ですが、東京電力は津波に対する研究や対策が明らかに不足していたのです。

津波の高さの想定が、東北電力女川原発と比較して低すぎました。例えば津波発生の高さは、ＡとＢの地震動が連動して起きたとき、津波の高さは、Ａの津波の高さ＋Ｂの津波の高さの合算値になる性質があるということです。従って、５・７ｍ、６・１ｍなどという津波の想定は、あまりにも津波の危険な性質を無視した机上の見込みであり、津波対策上ほとんど意味を成しません。

東京工業大学の第39回蔵前科学技術セミナー（２０１８年10月20日）で日本原子力発電（株）フェローの吉沢厚文氏は、東日本大地震時「実際に福島第一原発を襲った津波の波しぶきは最高およそ60ｍもの高さに達していた」と報告しており、海水は襲ってきた津波15ｍの４倍の高さに吹き上がっています。５・７ｍとか６・１の高さの津波想定などというものは、津波の脅威や現実の凄まじさを全く理解していない素人同然の想定だったといえます。東電は津波の研究や対策が取れないのであれば、せめて、全電源喪失を起こすことのないよう配電盤などの重要機器を地下ではなく、浸水の恐れのない地上の安全な場所に確保しておくべきでした。

結局、東電は原発の安全管理に当たって「原子力委員会のお墨付きもあり、どんなことがあっても全電源が失われるようなことはありえず、最後まで「止める、冷やす、閉じ込める」は守り切れるので、地震の規模や津波の高さなど恐れることはない」というような「絶対安全の神話の罠」に嵌《はま》り込んで、想定外の原因による最悪の事態の恐れは考えなくてよい、としていたふしがあります。

やはり東電の経営者、技術者には、大型原発に万が一の大事故が起こると、「日本がひっくり返ってしまう国家安全保障の問題」があるという基本認識を持つ必要がありました。

そのうえで東電の経営や技術のリーダーは、少なくとも、

ⅰ　1995年の阪神淡路大震災から頻発しだした巨大地震は、日本列島における大地変動時代の到来を告げるものであり、いずれも原発の脅威であるという認識を持つ。例えば2004年のジャワ・スマトラ島のマグニチュード9・1というような巨大地震と巨大津波が、臨海原発を襲ったらどうなるか？　なども想定してみる。

ⅱ　そして、東電柏崎刈羽原発が、2007年の新潟県中越沖地震で実際に被災した、現実の巨大地震の脅威や巨大津波もあり得ることの検証を東日本大地震来襲までに、行って見るべきだった。

そうすれば「想定外の多くの危険」が沢山が出てきて、「想定外の最悪の事態」が「想定すべき重要課題」として浮かび上がり、所要の防備、改善を実施することにより、対策の実効が上がり、福島原発の過酷事故は避けられたかも知れません。

国家安全保障や国民の安全確保を背負った経営や技術のリーダーシップは、現実の多くの科学的な知見や豊富な経験、あらゆる教訓を通じて、その「想定外の多くの危険」を「最悪の事態」として認識し、強固な良心に基づいて、「最大限の備え」を実行し、大事故を未然に防ぐところにあります。

4 転換を迫られる東電など「事業者の安全論」

あわや東日本壊滅の恐れのあった東電福島原発の事故原因は「全電源喪失＝冷却不能の可能性を全く考えていなかった」ことであり、それは全電源喪失させた「津波の高さの想定の失敗だった」と政府事故調査解説の専門家はみております。

その結果、東電は残念ながら、福島原発の重大事故を未然に防ぐことができず、原発事業者として国家安全保障の責任を果たせませんでした。

そのわけは、これまでの「国や電力事業者の安全論（安全の考え方）」は、「法令遵守」による「自社責任事故の防止」であり、種々の危険が増してきた今日にあって、「想定外のあらゆるリスクから国民の安全や国家の安全を守り切れるものではなかった」ということです。

原子力委員会や東京電力などの、これまでの国や事業者の安全確保の考え方を「事業者の安全論」とすると、それは、突き詰めて言えば実は「加害者側の安全論」です。事業者が事故責任を負わないために「事故責任の帰属の有無」を重視しています。従って「責任外の外部要因」や「不可抗力の想定外事象」によるリスクに対しては、防止対策の費用対効果などを見計らい、明らかなメリットが見いだせない限り十分な対策をとることなく「不測の事故」は起こり得るということになります。

すなわち、「事業者の安全論」は、

i 事業者は安全責任達成のために、安全に係る法令や安全基準を遵守し、自己責任事故の防止が主で、

ii 事業主に責任のない「外部原因事故」や「想定外の自然災害、テロなどの事故」の防止は従とされ、事故防止対策が十分に行き届きません。

iii このような「事故の責任や原因の帰属」を重視する「事業者の安全論」は、いわば「合格点の安全」と呼ぶべきもので、「責任事故を起こさず、事故発生の場合、同種の事故の再発防

止に努める」という程度の安全と言えます。

従って「事業者の安全論」では「事故防止態勢の範囲と質の面」で明らかな限界があります。例えば事業者の責任範囲を超える航空機の原発への墜落による重大事故や事故原因が想定外の大津波の来襲による福島原発事故などは、予見可能性を超えるものであり、もともと防げるはずがなかった、と考えてしまいます。

しかし、巨大原発の運転などに当たって求められる安全確保は、その大事故発生は国家安全保障を揺るがす恐れがありすから、あくまでも「重大事故未然防止の究極の安全論」でなければならないのです。この「究極の安全論」は、被害者になる恐れのある消費者や住民の立場での「消費者の安全論」ということになりますが、少なくとも「重大事故の未然防止を確実にする安全論」で、国家安全保障を守るものです。

「消費者の安全論」＝「究極の安全論」は、事故の原因や責任の帰属にかかわらず、あらゆるリスクに対して、

i　安全を「生命を守る最高の価値」と考え、安全の確保を最優先にし、最悪の事態をも想定して重大事故を未然に防ぎ、防げなかったときは減災、避難対策で被害を最小にするというものです。

ii　事故再発防止でなく、あくまで「重大事故未然防止の安全」と事故発生の場合、核シェル

ターの装備など「減災と避難対策の充実」ということになります。「事業者の安全論」と「消費者の安全論」の違いは、食べ物を例にとって考えていただくと一目瞭然です。食べ物の安全は、それを食する消費者の判断と選択により決まりますので、「消費者の安全論」によって成り立ち、これによって国民の健康が守られるのです。この「消費者の安全論」と「事業者の安全論」を、長い事故の歴史を有する鉄道事故の類型をもとに、イメージ図にあらわしたものが、図表5です。両者の違いが意外に大きいことに気が付きます。

最近原子力規制委員会は、原発政策において消費者地域住民のための「究極の安全論」の見解をとり始めています。いわゆる、最新の知見で引き上げた基準を既存原発に適用する「原発のバックフィット制度」がそれです。

「2019年4月24日原子力規制委員会は審査後5年以内に設置を義務付けたテロ対策施設や航空機衝突のような重大テロを受けた際、原子炉を遠隔で制御する施設（特定重大事故対処施設と呼ばれる）について、完成期限の延長をしないことを決定した。

この結果、（事業者が）設置期限に間に合わないと、稼働中の9基（の原子炉）も運転停止を余儀なくされることが決定したのである」（鈴木達治郎「原子力政策の展望」『世界』2019年7月号）。

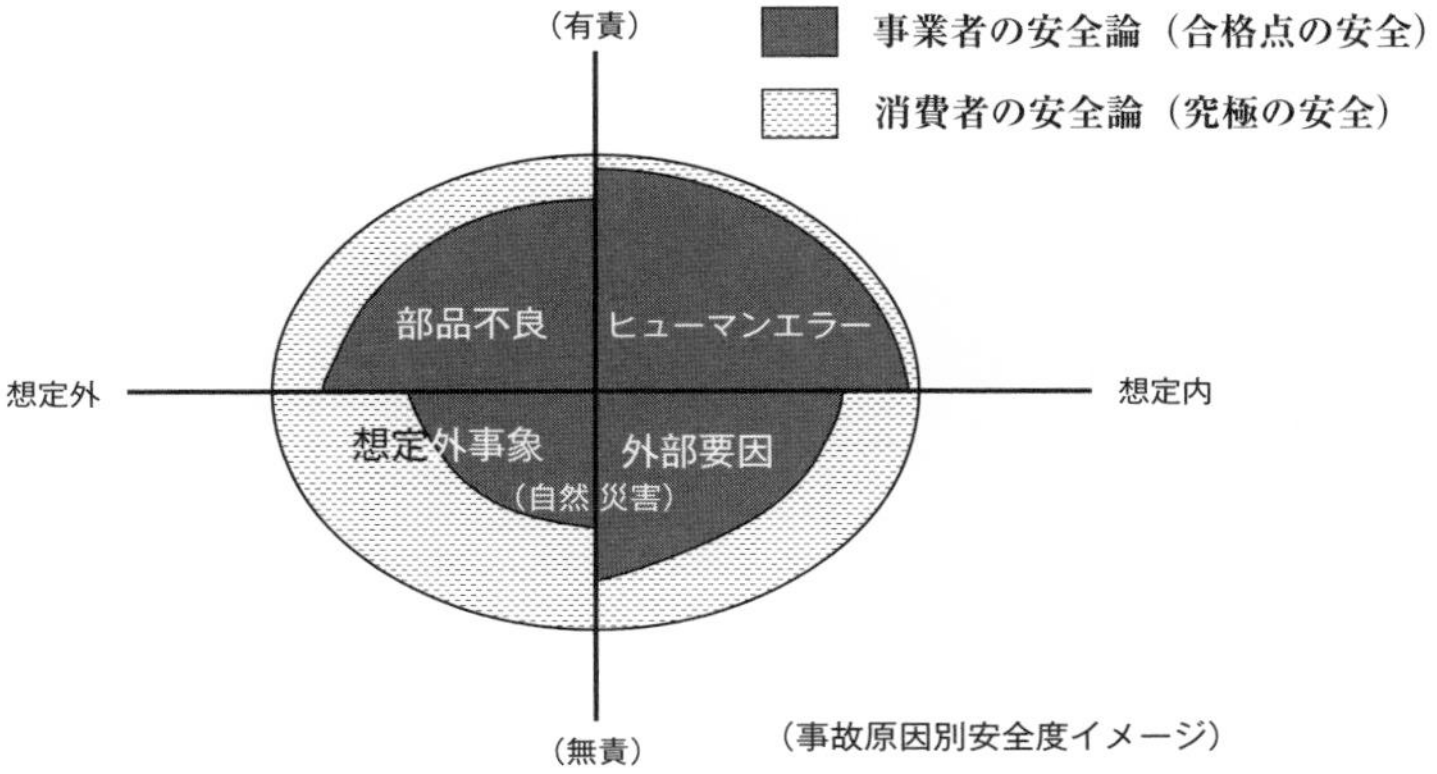

図表5　事業者の安全論と消費者の安全論はこんなに違う

○事業者の安全論では、想定外事象、外部要因などの事故は防ぎ切れない
○消費者の安全論は、全ての重大事故の未然防止を確実にする究極の安全で、安全の確保を最高の価値実現とする

原子力規制委員会のテロ対策施設の期限内工事完成義務の決定は、審査終了後5年以内とされていた工事期限を事業者が再度延長要望した従来通りの「事業者の安全論」について、新しく消費者住民の安全確保基準を優先し、期限を守って「重大事故未然防止の安全確保」に修正するよう指示したものと言えます。原子力規制委員会の、最新知見で引き上げた基準を、既存原発に適用する「バックフィット制度」の適用で、2020年3月16日九電川内《せんだい》原発1号機が停止に至りました。しかし、同年11月11日原子力規制委員会の使用前検査に合格、運転再開にこぎつけました（図表6 原発安全規制強化策「バックフィット制度」参照）。

原発再稼働に当たっては、原発自体の安

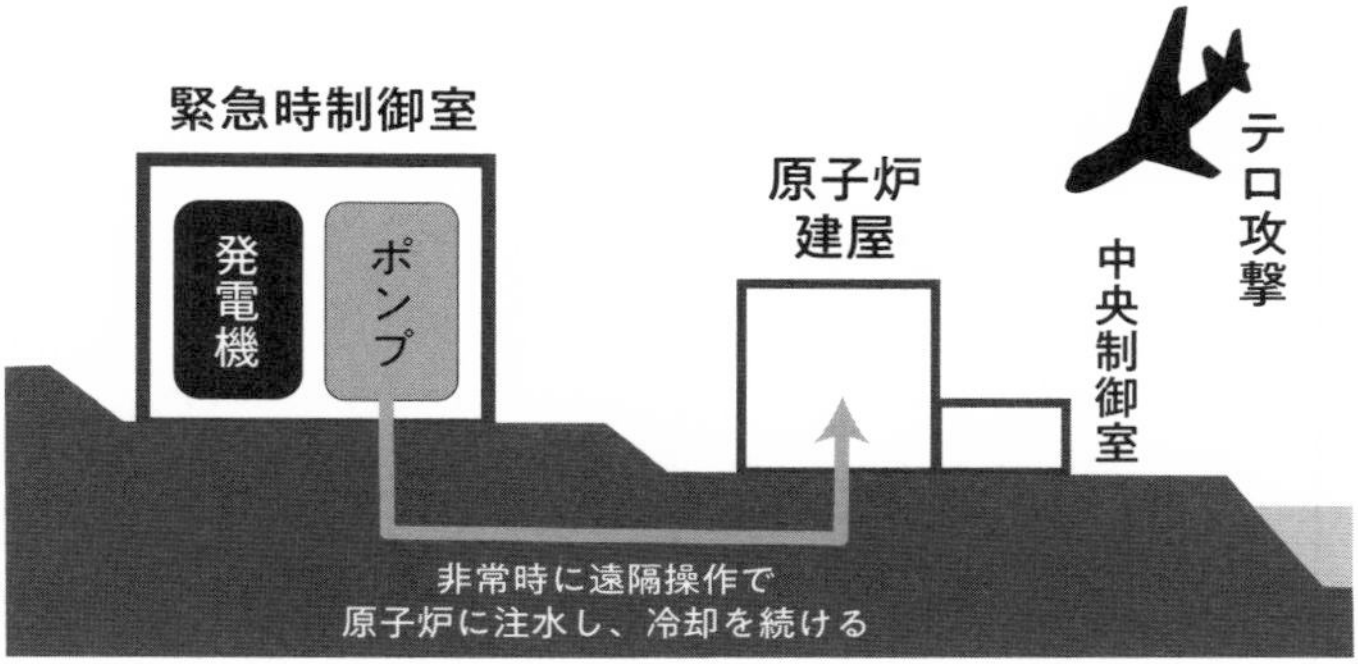

図表６ 原発安全規制強化策「バックフィット制度」
（原子力規制委員会の資料などからテロ対策施設のイメージ）

全強化策とともに、周辺の住民や大都市の市民の安全対策として、重大事故発生の場合の身を守るための有効な具体策も大切で、核シェルターの設置や避難対策など文字どうり消費者住民の立場に立った「消費者の安全論」が必要です。

基本的に被害者の立場に立って国民の命を守る「消費者の安全論」は、安全の確保は最高の価値実現であり、責任の有無や原因が想定内か想定外か？ にかかわらず、重大事故を起こさない「究極の安全」を求めるものです。

重大事故未然防止で安全最優先の「究極の安全論」と法令遵守と責任の範囲内で事故防止や事故の再発防止に努める「事業者の安全論」＝「合格点の安全論」では大きな違いがあり、その差を埋めるには、優れたリーダーによる強固な良心のリーダーシップが求められるのです。

5 それでも国家自滅の引き金を引き続ける「フクシマ」

東電福島第一原発事故は、東電という「一企業の原発安全管理の失敗」が、東日本を壊滅させ、首都圏・東北の5千万人の生活を一瞬にして奪い去るところでした。我々は国家の中枢機能を含む国土の半分を、ある日突然放棄せざるを得ない「恐るべき時代」に生きているという事実を、図らずも思い知らされました。「企業の失敗による国家安全保障の崩壊の恐れ」という想像もしなかった現実でした。

東電福島第一原発事故の後始末とその他原発の廃炉などの作業には、数十年、数百年の年月がかかり、最終的に被害者等への損害賠償、福島をはじめとする多数の原発の廃炉作業、核廃棄物処理、核汚染水処理には、膨大な時間と巨額の金がかかることは間違いありません。

東電福島第一原発事故政府事故調査・検証委員会の委員長畑村洋太郎氏は『選択』誌2019年3月号で、「そもそも福島原発事故の本当のコストを、今も議論しない。一番大きな数字で二二兆円というのを見たが、国がひっくり返るような大事故だったのだから、百兆円から五百兆円くらいはかかるだろう。これは国民みんなが負担することだ」と語っています。

東京電力は国が1兆円以上出資した実質的な国有企業ですから、それらの負担は電力料金増額や税負担で、国民や国が補填するほかありません。もし畑村氏の言われるように福島の原発処理などで、100兆円から500兆円もかかったら、膨れ上がるエネルギーコストの増嵩は、吸収不能で、日本経済に長期間にわたって計り知れないダメッジを与え、原発政策の転換の如何にかかわらず、今後の日本の経済競争力を弱体化させ、国家国民に負担を強い続けます。その意味で東電福島原発事故は、現に日本の安全保障を脅かし、今後もその阻害要因となっています。

政府は、エネルギー基本計画で、今後20〜22%を原子力発電により供給するといっています。しかし東電の福島原発の致命的な事故発生によって、原発政策の在り方について小泉純一郎元総理をはじめ世論は脱原発論が優勢となり、更に有事発生の場合、巨大原発を多数所有していては、国家安全保障上も重大なリスクとなるといわれています。

少なくとも原発の安全神話が崩壊し、核燃料サイクルが進まず、核燃料廃棄物処分法も定まらない状況下では、我が国の原発を利用したエネルギー基本政策は、否応なく修正を迫られ、一部の実験炉などを除いて、遅かれ早かれ脱原発路線を選択せざるを得ないと思われます。

現に、福島原発事故前に54基あった原発のうち、既に21基が廃炉を決定し、残っている33基のうち安全基準を満たし稼働しているのは僅か9基でしたが、テロ対策のバックフィット制度適用で稼働停止が相次ぐ予定です。

バックフィット制度適用によるテロ対策工事費は原発の中枢機能をもう一つ造るような大規模なもので、１基あたり約５００～１２００億円かかり、これらの安全対策費は、関西電力で総額１兆円を突破、九電でも９千数百億円以上で、さらに耐震規制の見直しで追加の工事が必要となる可能性もあるとされています。

また、前述のように、「フクシマ」の収束、処理のめどが立たず、全体の核廃棄物の処理、処分方法なども殆ど進展がありません。

我が国の原発は、かつて地球温暖化防止の切り札として「フクシマ」前の２０１０年には25・１％の電源構成を誇っていましたが、今や、２０１９年度にはわずか6・2％に落ち込み、安全神話崩壊の「フクシマ」以降の原発の実像は「国家安全保障を脅かす恐れのある、高コスト、高国民負担の負の遺産」になってしまいました。そのわけは、

ｉ 原発の重大事故未然防止に当たって、東電など「事業者の安全論」が、原発への大津波、大噴火、テロやミサイル攻撃などを「想定外」にしている限り原発の安全保障はなく、原発は依然、国家安全保障上重大脅威となること。

ii 原発電力は「フクシマ」以降長期にわたり、電力の大幅な高コスト化は避けられず、恐らくこれに耐えきれないこと。

ⅲ 加えて、「フクシマ」の後始末、汚染水処理や廃炉、核廃棄物処理はエンドレスとみるべきで、その実害とそれに要する更なる莫大なコストは、高電力コストと相まって国民負担を加重し、国家財政を圧迫、日本自滅の引き金を引き続ける恐れがある、ということです。

そうすると、膨らみ続ける「フクシマ」の処理、処分費用が、現在21兆円と言われています。この先、段階的にせよ国内に54基あった原子炉の大半を廃炉処理ということになれば、これらの原発が無駄な投資となる上に、膨大な廃炉コストがかさむことになります。畑村氏が言われる「100兆円から500兆円」という「フクシマ」の処理、その他関連費用の総額見込みも、真実味が十分にあります。

そもそも、原発電力は本当に安いのかどうかについては、畑村洋太郎ほか『福島原発事故はなぜ起こったか』は、「これまで原発の発電コストは他の燃料に比べて低いといわれてきた。しかし事故が起こって、実はそうではないことが明らかとなった。筆者らは今回の事故による損害は、公表されてない分も含めると、少なくとも50兆円はかかると考えています。これまでの原子力による累積（約50年）の総発電量を7・5兆ｋｗｈと考えると、1ｋｗｈあたりの事故による損害は約7円になる。事故を考えない原発の発電コストは5～6円／ｋｗｈといわれてきたが、このように事故は起こりうると考えると更に7円上がり、約12～13円／ｋｗｈということになる。この数字を見れば、原発の発電コストが低いとはとても言えない」としています。

また福島の原発事故を契機に国内最大の原発メーカー東芝が破綻危機に陥り、その東芝や日立を含む原発の海外輸出プランも不調が続出し、重電機産業全体の打撃は深刻で、当面、回復困難との見方もあります。

これらを含めた原発関連全体の国家的巨額の負の遺産の悪影響は今後も累増し、日本の安全保障と経済財政に致命傷となるでしょう。「フクシマ」はまだ全然終わっていないのです。

第Ⅲ章　グローバル化の罠(1)　重要産業基盤企業「JR」と国家安全保障

1　JR完全民営化の重大な忘れ物「外資規制」

1987年の国鉄改革は、国家の鉄道を政治と決別させ、25兆円を上回る国鉄債務の整理による財政再建と、国鉄労働組合の解体や約10万人の人員削減をしたうえで、鉄道の市場開放を前提に国鉄を旅客6社に地域分割し、全国1社の貨物会社を合わせた7社について平等に完全民営化を目指すものでした。

先ず鉄道営業赤字の北海道、四国、九州に1兆2800億円の経営安定基金を与えて独立させ、同じく赤字の貨物鉄道輸送も上下分離し、旅客会社の線路を特別低額で借りる支援策を導入し、これら赤字部門を分離整理しました。

従って改革の主力は、やはり収益力のある本州の旅客鉄道の事業改善、優良化にあり、東日本、東海、西日本は3分割はしても、価値の高い国家的重要鉄道資産を、最終的には丸ごと上下一体で承継し第一種旅客鉄道として完全民営化することでした。

完全民営化とは、国または公共団体の経営する企業について、保有する全株を売却して民間企業と同等の扱いにすることです。本州のJR旅客3社は、これまで日本で上場した国際電信電話、日本航空、電源開発などとは比較にならない国家的重要資産、重要技術を有する価値の高い企業の完全民営化でした。

国鉄改革の主力3社とは、

i 世界でも稀有とされる首都圏の高密度大都市旅客輸送と東北・上越新幹線などと、それぞれの地方路線をセットにした優良大鉄道会社JR東日本、

ii 東京大阪を結ぶ大動脈東海道新幹線を所有することとなる超優良鉄道会社JR東海、

iii 近畿圏大都市輸送と山陽新幹線、地方路線を持つ優良鉄道JR西日本のことです。

優良本州3社は、国家的重要経営資源を所持する一方、11・5兆円にも及ぶ長期債務を負担の上、更に新幹線鉄道を上下分離しリース方式でスタートした新幹線施設を改革4年後に9兆円で買い取りました。その結果、20兆円を超える債務負担をしながら、平成の超低金利、デフレ経済の下で経営実績を上げ、債務の償還、軽減化にも見事に成功しました。こうして大方の想定を上回り、上場条件をクリアし、2002年にJR東日本が、2004年にJR西日本が、2006年にJR東海が東証一部に上場して、名実ともに完全民営化を果たしました。

こうして国鉄改革における主力本州3会社については、分割民営化とその大成功によって所期の目的を果たし、内外の称賛を受けました。

しかし、国鉄再建監理委員会は国鉄改革に当たり、旅客鉄道会社の新幹線、貨物鉄道についていわば上下分離方式と言えるものを導入し、その定着を待って完全民営化に移行していく段

階的発展的な方法論を提示しました。

鉄道の上下分離と言いますのは、鉄道事業の市場開放（オープンアクセス）を前提に、輸送事業を上部構造と言い、線路電路などインフラ施設事業を下部構造と言い、それぞれを分離して別々に経営させることを言います。欧州では鉄道の軍事的使命の重要性などを理由に、歴史的に、鉄道は上下分離を大原則とし、民営化は、その上で上部構造におけるオープンアクセス（複数社運行）が原則となっています。

国交省は、もともと公共事業たる鉄道業について上下分離思考があって、国鉄改革に合わせ、鉄道市場の規制緩和を前提に鉄道事業法を制定しました。

i インフラ事業と輸送事業を合わせ行う「第一種鉄道事業」

ii 一種鉄道、三種鉄道などから線路を借りて営業する「第二種鉄道事業」、
iii 譲渡する目的で線路を敷設したり、敷設した線路を二種鉄道に使用させる「第三種鉄道」

など鉄道の市場開放に向け、上下分離を制度的に取り入れた新しい法制を定めました。

国鉄改革でも、インフラ事業と輸送事業の上下分離策の推進として、貨物鉄道輸送について第二種鉄道としてこれを導入するとともに、新幹線にも施設のリース方式による実質的上下分離方式を導入しました。すなわち新幹線旅客営業にあっては、東海道、山陽、東北、上越の4新幹線の下部構造の線路及び電路設備を、国である「新幹線保有機構」に保有させ、車両など

上部構造物はJR本州3社に持たせ、30年間にわたり本州3社は、線路使用のリース料を支払って新幹線営業を行い、3社間の収益調整をするいわゆる「新幹線リース方式」が採用されました。これは長年の国交省の宿願を実現した鉄道上下分離方式と呼んでいいものでした。

新幹線鉄道の上下分離導入策としての新幹線保有機構については、国有鉄道から一気に分割民営化するにあたって、それなりに合理性を有するプロセスでしたが、JR発足以降、予想以上の新幹線営業の好調を映し、新幹線リース制度の矛盾が目立つようになってきました。とくに新幹線営業が全体の8割を占めるJR東海では、新幹線資産の減価償却費の計上ができないことで、増収分がほぼ利益になる上、2年ごとの本州3社間収益調整で、好調分がカウントされリース料が上がってしまうという、東海道新幹線好調なるが故の矛盾が看過できない事態となりました。

このため国交省では1989年度、リース料を固定化し、先ず収益調整の矛盾を解決しましたが、更にリース終了後の新幹線資産の帰属が不明など上場基準に抵触する懸念が生じたことも明らかになりました。そのため国交省は改革後4年を経た1991年に新幹線保有機構を解体し、JR本州3社はそれぞれ4新幹線の資産を9兆円で買い取り、新幹線も在来線も丸ごと全て上下一体の、自前の鉄道資産で完全民営化を迎えることとなりました。

これによって、JR本州3社など日本のJR東日本、東海、西日本などの第一種旅客鉄道は、地域分割は行ったものの、基本的に国家的最重要資産を有するインフラ事業と独占的高密度輸送事業を一体的に譲受し経営する企業価値を極限まで発揮できる事業形態を取得しました。このことは、内外の激しい抗争を勝ち抜いて国鉄解体に成功し、民営企業として成長発展の可能性に燃え、完全民営化を実現した本州3社や後を追ってきた九州のJR鉄道事業者から見れば、上下一体の優良経営資源を所有し自由に経営することは当然のことであり、そのこと自体とやかく言われる筋合いはないということかもしれません。

しかし、世界的に稀有な優良経営資源を有する第一種旅客鉄道会社を誕生させることと、それらを完全民営化し上場することにより、無条件でいきなり資本市場に全株式を放出することを、同じ完全民営化万能論で考えるのは大きな疑問があります。それは国境を越えて覇権支配を競っているグローバル資本市場にあって、単なる事業参加の域を超えて強大な支配力を持つ外国資本の侵攻に対し、改革を成し遂げたとはいえ、「資産家の箱入り娘」同然のJRの無条件の完全民営化、資本市場上場は、あまりにも世間知らずで無警戒で、俄《にわか》に容認されるべきものではないからです。

近代国家にあって幹線鉄道網というものはいかに民営化され市場開放されても、日本国の主権の及ぶ公共鉄道であり続けなければならないのです。これは民営分割したJR時代になっても変わりません。1872年鉄道創業以来、日本の幹線鉄道は殆ど国有鉄道の歴史であり、1987年に国鉄改革で民営化したとはいえ、長年にわたり国の総力を挙げて形成してきた国家最重要鉄道資産は、日本国民の「最重要生活インフラ」そのものであり、日本の国家安全保障に深くかかわっています。それを丸ごと承継したJRが「株主第一主義経営」の完全民営化を達成して、何の備えもないまま、国際資本市場に上場しては、やがて外国資本の餌食となり、外国資本に支配買収され、日本の国家主権が及ばない外国鉄道となってしまいます。

国鉄改革で一応完全民営化と言いながら、当初スタートさせた「新幹線保有機構」をもって新幹線の線路設備等の資産を国が留保する形態は、自由資本市場における外資侵攻の一つの歯止めとなっていたのですが、それを取り払い、JR各社に新幹線資産も譲渡するのであれば、その段階で資本市場に対して「一定の外資規制」をかけておかなければならなかったのです。

この「外資規制のかけ忘れ」は国鉄改革並びにその後における「重大な忘れ物」と言ってもいいミステイクです。何故かといえば国鉄改革は日本の国家国民のために行ったものであり、新生優良JRをそっくり外資の貢ぎ物にし、「外国鉄道化」するためでは決してなかったからです。

欧米の先進国を見ても、後で述べますように、日本のような無防備なことはせず、重要鉄道国家資産は頑《かたく》なに上下分離するなどして制度的にしっかり守られています。日本の国鉄改革だけが「公益事業で重要資産会社ＪＲを外資から守る」という大事な外資規制を忘れて、ＪＲを無条件完全民営化してしまったのです。

ＪＲのような公共性の高い国家安全保障に直結する企業の無条件民営化というのは、世界広しと言えども日本のＪＲ改革だけであり、我々は、この事態を、真剣に考え、「ＪＲの外国鉄道化」から守る対策を真剣に考える必要があります。

2 改革から30余年、見直しが必要なＪＲ北海道、四国、ＪＲ貨物

国鉄改革から30余年が経ち、ようやく国鉄改革とその後のＪＲ鉄道事業の成功と失敗のようなものがはっきりしてきました。わき道にそれますが、その成功と失敗の問題点についても見てみましょう。

国鉄改革の成功は、前述のように主力のＪＲ東日本、東海、西日本を上下一体の独占的経営の重要産業基盤企業として国家的重要鉄道資産をそっくり所有させて完全民営化し企業価値の極大化をはかることにありました。

それは大成功でよかったのですが、最大の問題は、それならば、これだけの国家的重要会社を無条件、無警戒に完全民営化し、資本市場に上場させて、本当に大丈夫なの？　ということ

です。

筆者が二、三のご存命の国交省の国鉄改革関係者にこの疑問を伺ったところでは、「完全民営化し、上場するＪＲに対する外資規制については、政府も国鉄再建監理委員会も全く念頭になかった」と語っています。上場した優良ＪＲがグローバル資本市場に飲み込まれ、外資にとられてしまうという懸念については、当時全く議論がなく、仮にあったとしてもそれは外為法で対処できる問題だと考えていたということが真相のようです。

「ＪＲの外国鉄道化の恐れ」という「国家安全保障を揺るがす大事な忘れ物」をしてしまった国鉄改革ですが、改革から30年余が経過した今、その実態を見てみますと本州旅客3社のように非常にうまく行った面と、今や手におえない惨状にあるＪＲ北海道、四国や、行き詰まりがはっきりしてきたＪＲ貨物など、改革そのものの抜本的な見直しの必要性と改善すべきところがはっきりしてきました。

(1) 両立不能だった本州ＪＲ３社とＪＲ北海道、四国

もともと旅客輸送密度が高く、新幹線など高速輸送で十分な競争力のあるＪＲ東日本、東海、西日本と、上下分離し下部構造の線路使用経費負担を大幅に軽減してもらったＪＲ貨物や、鉄

道本業の営業損益が大赤字のＪＲ北海道、四国、九州の３社は、鉄道事業の収益力で大きな開きがありました。にもかかわらず、国鉄再建監理委員会は、全て、売上高の１％の最終利益を確保する経理操作をして、合計7社全部、形式的に経営の自立持続可能性有りとして、完全民営化に向かってスタートさせました。この一時点の数値計算で長い将来の結論を出し、一切の見直し条項を入れなかったところに国鉄改革の基本問題があります。

すなわち、重要鉄道資産を承継した見返りに、11兆５６００億円の債務を背負ってスタートしても収益力のあるＪＲ東日本など本州３社や上下分離し下部構造経費を大幅減免されたＪＲ貨物と、大幅な営業赤字を前提に、逆に資産の減損処理をした少額の減額資産に、約１兆２８００億円の経営安定基金を与えられて、その運用利息で収支均衡を図るＪＲ北海道、四国、九州など3島会社とでは、その後の金利変動によって、経営実態は天国と地獄の関係が生ずる懸念が明白でした。

案の定、平成の想像を絶する「超低金利時代」に入り、ＪＲ北海道など3島会社は、営業損失を補填するはずの経営安定基金の利子収入は激減し、経常大幅赤字のアリ地獄に陥りました。

逆に、本州ＪＲ3社は、11・５兆円の債務負担に加えて、新幹線保有機構を解体し、新幹線を9兆円で買い取って膨らんだ20兆円を超える債務を抱えても債務償還を順調に果たし、いち早く完全民営化し上場を達成するということで、両者の経営内容は両極端に別れました。

多額の債務を抱えても成長発展できる本州ＪＲ３社と、虎の子の金融資産の運用でやっと収支均衡する３島ＪＲ３社とでは、金利変動幅が大きく振れることによって、トレードオフの関係にあって、両者が共に平等に１％の利益を達成するという試算は全くの空論であったのです。

例えば、ＪＲ北海道民営化の経営は、発足時年率７％にもなる高金利継続を前提で６８２２億円もの巨額の経営安定基金の運用利子収入を頼りに、人件費、物件費など節約一辺倒の経営を基本とするもので、赤字ローカル線の整理など鉄道本業の正常営業化への体質改善など、本来、中心に据えるべき経営改革の有効策を欠いていました。

すなわち、大半の赤字鉄道路線の廃止、バス転換など本質的な経営改善策の実行を抜きにして、巨額の金融措置に全面依存して民営化したため、年間約８００億円の営業収入に対して、営業費用は１３００億円で、年間約５００億円もの営業損失が発生していました。

この５００億円の大赤字を埋めるため、人件費、修繕費などの節減はもとより、固定資産減額による減損処理などを講じて、６８２２億円にもおよぶ経営安定基金による約５００億円もの営業外運用収入により収支を均衡させようという計画で、発足時こそうまくいきました。

しかし数年にして、平成の超低金利時代を迎え、経営安定基金運用収入は国の支援があっても年間５００億円が約２５０億円に半減、赤字幅が一挙に拡大し、人件費、修繕費カット、遂には安全に関わる経費まで削減しても、超低金利による運用収入減の大穴は埋めきれず、経営は完全に行き詰まりました。

従って、JR北海道を民営化するにあたっては、JR北海道が一存では実現できないが必ず実施しなければならない不採算路線の整理など、本来の鉄道事業改革を実施すべきでした。

第1に、不採算地方交通線の、例えば上下分離（公設民営化）、廃止、バス転換への方向付け、第2に、JR貨物の大幅割引線路使用料の適正化（JR北海道はJR貨物線路使用料で収入欠損を生じている。後述）、更に後から出てきた問題ですが、第3に、北海道新幹線の負担軽減の取り扱いなど、国が処方を明示担保して、北海道固有の鉄道事業の正常営業確立の仕組みを明確にしてやる必要があったと思います。

これに対して、JR北海道の経営悪化は、歴代経営者の経営姿勢に問題があり、徹底した企業努力が足りないうえに労働組合の専横を許したため、経営改善の実績が上げられなかったからだとの指摘があります。

確かにそういう一面も否定できません。しかし「鉄道事業そのものの徹底した改革」を避けて、巨額の金融措置を講じたからと国鉄時代の殆どすべての赤字ローカル線をそのまま持たされた上に、輸送密度の高い本州JRと同じ上下一体の第一種鉄道として下部構造費用を全て負担させられてはお手上げです。

ＪＲ北海道民営化以降、優秀な歴代社長が２人も入水自殺に追い込まれるなどは前代未聞で、的確な方策を欠いた不正常な事業低迷は、国鉄改革におけるＪＲ北海道民営化の仕組みづくりが、如何に正鵠《せいこく》を得ていなかったかを物語っています。

現在ＪＲ北海道やＪＲ四国は民営化しても株式は国が１００％持っていて、国有企業そのものですから、国が責任をもって早急に現地の鉄道事業の基本条件を大改革して、正しい処方箋の下で再生して行くべきです。

ＪＲ北海道について福井義高青山学院大学教授は、経営実践論の立場で「ＪＲ北海道の３分割」案を提案しています。福井教授に直接話を伺ったところによると、ＪＲ北海道の３分割とは、

i　鉄道特性のある在来幹線を運行する「新ＪＲ北海道」（ＪＲ貨物線路使用料引き上げにより、年約50億円以上の是正を行う）

ii　ローカル線を運営する「北海道地方鉄道会社」（経営安定基金をバス転換交付金等に充当する）

iii　北海道新幹線新青森─函館間を運行する「新幹線運行会社」などが、ＪＲ北海道の３分割

案の概要です。

福井氏は分割3社の収支計算もしており、「新JR北海道会社」は経営安定基金に頼ることなく、営業損益段階での収支均衡を目指し、経営安定基金は北海道地方鉄道のローカル線の終活に用いたり、廃線後バス補助や道路整備に充てるべきだとしています。なお、函館・札幌間の北海道新幹線は、建設中止が最善としていますが、北海道新幹線の札幌延伸が国策として行われる場合は、コストは国が負担するとしています（筆者は、札幌新幹線は客貨共用運行を提案します。後述）。

福井氏のご提案は、鉄道特性の有無をもとに、JR北海道の問題解決を図ろうとする有力な案だと思います（詳しくは『論座』「JR北海道を三分割せよ」2019年12月24日をお読み下さい）。


なお、JR四国については、紙幅の関係で簡潔にしますが、やるべきことは殆どすべてやっていても、旅客の減少が止まらない悲劇的な状況は変わりません。JR北海道と同様、超低金利時代に経営安定基金の利子収入頼みの経営では、やっていけないのは明らかです。これからも中小私鉄並みの経営哲学をもって経営改善を持続しながら、超低金利で宝の持ち腐れとなった2000億円を超える経営安定基金については、事業の改善発展に直結する活用策を検討し、事業改革の抜本的再生策を作り直すべきだと思います。

ＪＲ九州は比較的に恵まれた経営資源を生かし、早くから不動産など関連事業に積極的に注力していたのが奏効し、本業の鉄道も九州新幹線の順調な開業などもあり、経営基盤を強化できたために、２０１６年には巧妙な会計処理を駆使して課題山積ながら一挙に東証一部に上場を果たしました。

上場に当たり、かつて年間１００億円を超える運用利益を生んだ３８００億円余の経営安定基金を取り崩し、国が保有する九州新幹線の30年分の借料２２０５億円を一括前払いに転用したり、固定資産コストを極限まで減損するなど、目先の益出しを目一杯はかり、将来に不安を残しつつも完全民営化と上場を果たし、本州３社の仲間入りをしました。

ところが、最後に上場したＪＲ九州が、次節で述べますように、あっという間に発言力の強い外資が入り込み、今後の外資規制対応策に問題を投げかけています。

(2) 必要なＪＲ貨物の大転換 ―高速鉄道物流イノベーションを―

鉄道貨物の存続について元ＪＲ貨物伊藤直彦社長は、国鉄改革当時「物流業界に置ける鉄道貨物輸送の役割は極めて小さく、『安楽死論』が一般的でしたが、財界や有力な識者の『存続論』で、拠点間直行輸送に縮減し存続となりました」と述べています（伊藤直彦『鉄道貨物日本経済新聞社）。

鉄道貨物は全国輸送網を保持し、ＪＲ北海道、四国などとも青函トンネルや本四架橋などで接続していたため、狭軌鉄道における貨物輸送の限界や鉄道特性から見た新時代対応力などについての充分な検討なしで、分割旅客会社の線路を借りて営業する全国一社の第二種鉄道として存続させることが先に決まり、その後収支の辻褄合わせを行ったように見えます。

ＪＲ貨物の制度的な仕組みは、鉄道事業法に定める第二種貨物鉄道会社として、初めて導入した上下分離方式によりコストの低減を図り、拠点間を直行貨物列車で運行させる事業に特化して、鉄道特性を発揮しようとするものでした。その際、第一種旅客鉄道会社への支払い線路使用料は、経済合理性の範囲内で最少とすることを狙ったと思われます。

線路使用料決定の経過については、陸上貨物輸送競争上で敗退しつつあった鉄道貨物輸送は、上下分離方式で、拠点間直行輸送に特化しても、正規のフルコスト線路使用料が払えないとして、会社設立に当たり、「アボイダブルコスト（回避可能原価）」と言われる「全米鉄道旅客公社（通称アムトラック）に対し適用した「短期回避可能費用」（short term avoidable cost）をモデルとした「特別のルール」を設定しました。アボイダブルコスト線路使用料は「貨物列車が走らなければ回避可能な原価」を言いますが、「この特別ルールは国鉄再建監理委員会の、

ＪＲ貨物とＪＲ旅客との協力関係と円滑なルール設定によるべきものとの考えが尊重された」とされています（堀雅通「鉄道の上下分離と線路使用料」『高崎経済大学論集』第47巻第1号、２００４年）。なお、このＪＲ貨物とＪＲ旅客との線路使用料契約の法的担保は、新しい鉄道事業法の中で「線路使用料の認可制」をとることによって公認されています。

しかしこの特別ルールたる「協力関係と円滑なルール設定による線路使用料」の実態が、２０１８年に青山学院大学の福井義高教授によって、本来のフルコスト線路使用料の１～２割程度でしかなく、これに１％の適正利潤を乗せても「極めて低額の線路使用料」であることが明らかとなりました（「鉄道貨物は存続可能か」『企業会計』２０１８年6月号）。

制度発足時から第二種貨物鉄道に対して「フルコストの１、２割程度という大幅割引きの線路使用料」を設定し、これを30年余経過してもなお、あたかも適正な線路使用料のごとく継続することは、鉄道貨物輸送の経済合理性を著しく歪めることとなると共に、もはやＪＲ北海道をはじめ旅客各社との特別ルールによる協力関係も限界が見えてきました。

福井青学大学教授によるＪＲ貨物線路使用料の実態の説明を要約しますと、

「２０１５年で、ＪＲ貨物の線路使用料は、第三セクター鉄道の金沢・直江津間と盛岡・青森間約４００㎞に対し約90億円支払っており、１㎞あたり２３００万円のフルコストに近い料金を支払っていることになります」

「他方、ＪＲ各旅客会社にはＪＲ貨物が使用する７３００㎞の線路のうち、主な幹線約３１００㎞に絞っても、線路使用料約１７０億円の支払いなので、１㎞あたり５・５百万円しか払っていないということです。これはフルコスト線路使用料の２割でしかありません」「ＪＲ貨物が当分の間でなく、ゴーイングコンサーンとして事業を継続するのであれば、線路使用料は（１７０億円でなく）少なくも、７００億円は支払う必要があるでしょう」「なお三セク鉄道に払う『使用実態に応じた線路使用料』の増額分は国から貨物調整金としてＪＲ貨物に交付されているのでＪＲ貨物の負担とはなっていないわけです。この調整金は年平均１００億円にも上ります」（「鉄道貨物は存続可能か」『企業会計』２０１８年、Ｖｏｌ70、№９）。ここで「三セク鉄道」とは、整備新幹線開通に伴いＪＲ旅客会社から分離された並行在来線を運営する「第三セクター鉄道」のことです。

また、貨物調整金とは、ＪＲ貨物が並行在来線・三セク業者に支払う路線使用料と従来ＪＲ旅客会社に支払っていた路線使用料との差額を、鉄道建設運輸施設機構が、ＪＲ貨物に交付するもので、当初整備新幹線貸付料が財源に充てられ、いずれ新制度に移行するとされています。なお２０１９年度で貨物調整金は１３１億円になっています（大嶋満「貨物調整金の見直しに向けて」『立法と調査』２０２０年１０月、№４２８）。

ｉ　こうしてＪＲ貨物は、一つは、既に整備新幹線開業で、並行在来線が第三セクター鉄道となった時に、そこで公認された「使用実態に応じた線路使用料」がいわば「正規の線路使用料」で、ＪＲ旅客会社にこれまで30年余支払ってきた線路使用料は正規の線路使用料の１、２割のままだったことが明らかとなり、この「極めて低額の線路使用料」は経済合理性に反し、適正化の必要が出てきました。それは「ＪＲ貨物輸送は、実際には大幅なコスト割れのダンピング運賃で行われており、輸送分野における資源配分を歪めている」という福井氏の主張を無視できなくなりました。

ii 二つ目は、北海道ではＪＲ貨物の列車が、ＪＲ北海道の線路を利用して数多く運行しておりますが、ＪＲ北海道自身経営難で、ＪＲ貨物から取得する線路使用料は、第三セクター鉄道同様フルコスト線路使用料の要求をさせてもらいたい、と考えているはずです。それによる増加額は、福井氏の試算によれば、少なくとも年約50億円にのぼるとされています。

これに関して既に、ＪＲ北海道は、「貨物走行の区間の維持に約２００億円かかる一方で、使用料収入は20億円、と負担が大きすぎる」（「貨物が握る『北の鉄路』の運命」週刊東洋経済２０２０年10月３日）と主張しています。

このことはＪＲ北海道のみならずＪＲ九州、四国をはじめ本州のＪＲ旅客３社なども、この度のコロナ禍により２０２０年度が大幅赤字決算必至となれば背に腹は替えられず「フルコストの線路使用料」の支払いを求めることがあり得ます。そうするとＪＲ貨物とＪＲ旅客会社との協力関係に基づく「特別ルール」の維持は困難になり、フルコスト線路使用料要求に即座に応じられない第二種鉄道ＪＲ貨物事業は窮地に立たされます。

要するに、第二種鉄道ＪＲ貨物は、国鉄改革から30余年経っても「極めて低額の線路使用料」に依存し続けてしまい、経済合理性に基づく「適正な線路使用料」を前提とした発展力のある事業展開に至らず、完全民営化を達成することが出来ていません。

また、発足以来経営難のＪＲ北海道をはじめ、コロナ禍で２０２０年度大幅な赤字決算に転落するＪＲ旅客各社も、もはや曖昧な「特別ルール」に基づく「安すぎる線路使用料」を容認し続けることは限界にきました。

事ここに至っては、これから先如何にするかが問題で、「極めて低額の線路使用料」により、ようやく成り立っている現在の第二種鉄道貨物事業から、「適正な線路使用料」を払える「新しい貨物鉄道事業」を展開し、完全民営化を目指すしかありません。本来オープンアクセスが前提の第二種鉄道にとって、事業継続発展のためには「適正線路使用料支払い」はクリアしなければならない絶対条件なのです。

ＪＲ貨物はここは正念場で、目標は完全民営化への道だということを肝に銘じ、これに向かって最後の決断の時期にあります。道は二つあります。

i　一つはあくまでも「現状維持路線」で、「極めて低額の線路使用料」とはいえ、国鉄再建監理委員会によって認められ、30年余にわたって各ＪＲ旅客会社の協力があり、主務官庁でありかつ株主でもある国交省（国）の認可も得て、三セクの線路使用料の補填として貨物調整金まで受けており、今後も「現行低額線路使用料特別ルール」で、このまま狭軌在来線の第二種鉄道貨物事業を続けさせていただきます、というものです。

しかし、この現状維持路線は、実は、かねてより存在するとされるＪＲ貨物の「安楽死路線」そのもので、「極めて低額の線路使用料」が経済合理性を欠き不公正な事業の継続の元凶とみなされると、ある日突然、ＪＲ旅客会社、国交省に「生命維持装置」である「極めて低額の線路使用料への協力、容認支持」を外され、そこで第二種鉄道ＪＲ貨物は終わってしまいます。

ii　もう一つの道は、ＪＲ貨物も国鉄改革の基本スキームである完全民営化達成を目標として、現行の「極めて低額の線路使用料」の改善について、ＪＲ旅客各社に対し、時期を定めて「適正線路使用料金」に改め、何よりもＪＲ鉄道貨物事業の「経済合理性」の回復を優先し、総力を結集し大胆な事業改善にチャレンジしてみることです。

その上で、新たに我が国の「新幹線高速物流イノベーションとなる新規事業」の計画推進を申し出て、これが関係各方面に認められれば、段階的に在来線貨物事業を可能の限り「新幹線高速鉄道物流事業」にシフトして、第二種鉄道適正線路使用ルールの下で経営の再生発展を図り、完全民営化を達成しようという道です。

現在、国内物流にあって、唯一鉄道貨物輸送に期待されている分野があるとしたら、増え続ける急送高級貨物、急送宅配貨物等に対して「新幹線高速物流イノベーション」の立ち上げです。この構想を前提に、今後10～20年ほどかけて、段階的に「第二種鉄道全国新幹線高速物流計画」を事業展開します。

新幹線高速物流計画を「段階的に」と申し上げましたのは、本計画はこの後の整備新幹線や中央リニア新幹線などの進捗状況に深くかかわり、既存新幹線等の整備、運行条件についても計画的な改変を順次実施する必要が出てくるからです。

例えば、２０３１年の札幌までの整備新幹線の開通は、東京―札幌間を5時間以内で高速走行する予定となっているところから、青函トンネル（約54㎞）における「高速旅客新幹線と低速狭軌在来線貨物輸送の共用運行解消問題」（いわゆる3線軌条解消問題）を解決しなければならず、「高速新幹線による客貨輸送に統一する」という国家的方針の決定が必要なことなどです。

新幹線高速鉄道物流事業の起業展開は、これまで「旅客専用」で考えられてきた全国新幹線鉄道をここで「客貨共用化」し、「全国ネットワーク化」への大転換の舵を切るわけですが、今や全国新幹線鉄道網の「高度利用」とその「収益改善」は是非とも必要で必然性が高まってきたと言えます。

なぜなら、人口減少が著しい上に、今回のコロナ禍で将来的に新幹線旅客需要のかなりの減退が予想される我が国にあって、これから巨額の投資をして、東京大阪間で北陸新幹線、中央リニア新幹線の完成などで輸送力を一挙に3倍した上、北海道新幹線を札幌まで延伸しても「旅客専用新幹線」のままでは、採算がとれる筈がなく、「新幹線の客貨共用と全国ネットワーク化」は、JR7社にとって共に有効不可欠な事業であるとともに、今や地方創生と国土の均衡ある発展に寄与するナショナルプロジェクトでもあると思います。

日本の新幹線鉄道網は、北海道新幹線が2031年3月には札幌まで全通し、東京以北の新幹線網が完成します。また大阪・九州間の新幹線は、長崎新幹線を残し、既に出来上がっていますので「新幹線高速物流計画」が認められれば、当面東海道を除いて「九州・西日本」「北海道・東日本」の順で第一段階のスタートになると思います。

次に2037年頃には、リニア新幹線、北陸新幹線が東京・大阪間で全通の可能性があり、東海道新幹線の線路容量は、大幅な余裕が出ることにより、東海道新幹線を中心に、北海道から九州までの東京と大阪のドアツードアの到達時間が、それぞれ半日以内におさまる「高速新幹線物流システム」が可能となり、日本が世界初の高速鉄道物流国家に変貌出来ます。

新幹線高速貨物鉄道輸送については、既に元ＪＲ九州社長の石井幸孝氏が考案されており、既存の「ＪＲコンテナ新幹線方式」と「新幹線宅配便方式」を提示しておりますが、前者は青函トンネルの新幹線・在来線貨物列車の三線式供用区間の救済策用とみてよく、一般的には後者の新幹線車両を航空機の胴体部分に見立てて、搬入搬出を自在にできる軽量コンテナを搭載し、北は札幌から南は鹿児島まで高速定時輸送を行い、航空機貨物運賃より安い賃率で航空機に準ずる速達を可能とする新時代の新幹線物流の提案です。（詳細は『人口減少と鉄道』朝日新書、国鉄改革30年その３「新幹線物流が動き出す」『鉄道ジャーナル』２０１７年８月、No.６０１０）

またＪＲ貨物が、全国ネットで新幹線高速コンテナ輸送構想を上下分離の第二種鉄道で全国展開することは、ＪＲ旅客６社の特段の協力と一体性が必要条件となることから、この世紀の事業展開を契機に、新幹線を保有する第一種旅客鉄道各社に外貨規制をかける名分と実益を見いだせます。

３　ＪＲが外資鉄道になる危険

さて本論に戻り、ＪＲの外国鉄道化がどうして国家安全保障に重大な影響を与えるかを、もう少し具体的に、考えてみます。日本は国有鉄道の民営化、市場開放に当たって、欧州のような上下分離は、貨物鉄道のみにし、基本は本州と北海道、四国、九州の３島の旅客鉄道を、それぞれ上部構造・下部構造を一体のまま、６つに地域分割しました。

従ってメインの旅客鉄道事業は、鉄道輸送事業とインフラ事業を上下一体で国鉄重要資産を継承して、等しく完全民営化を目指したのです。

そのこと自体は日本特有のものともいえ間違いではなかったのですが、急速に進展するグローバル資本市場に上場するにあたり、外資規制をかける検討を怠り、無条件で完全民営化ＪＲをスタートさせたことは国家安全保障上大きな不安を残しました。

少なくとも１９９１年に「新幹線保有機構」を解体し、ＪＲが国家最重要資産の新幹線も上下一体で所有する第一種旅客鉄道となった時点で、外資に乗っ取られないために、鉄道業法に一定規模以上の特定する主要鉄道には、外資規制条項を盛り込むべきでした。

国家が鉄道の発展と共にあったといっていい日本では、新幹線など幹線鉄道のような鉄道網はいくら民営になろうと、国家最大の重要公益事業であり、今まさに米国で対内投資規制の対象となっている重要産業基盤企業と同様、その維持発展には国家安全保障上、国家主権が働くし、働かせなければならないのです。

全国の幹線鉄道が外国資本の支配下になり、事業推進に国家の意思が及ばないということになっては、国家的重要資産に対する国家主権喪失、属国化の始まりというほかありません。我々は明治以来150年近く国家の総力を傾注し、構築してきた国有鉄道の重要な歴史的意味と価値を真摯に守り抜かなければなりません。

例えば、JR東海が完全民営化した後でさえ、国家が強力な後ろ盾となっているシーンが見られました。

JR東海はリニア新幹線建設に当たり、あくまで自己資金による建設にこだわり、東京–大阪間の完成を2045年とする、かなりゆっくりしたスケジュールで進めていました。

しかし国はJR東海の勝手を許すことなく工事期間の短縮を主張し、リニア新幹線の工事促進と完成時期を8年早め、2037年開業するよう要請し、2016年に国の財政投融資の長期低利特別資金3兆円の投入を決めました。このことは、JR東海が完全民営化しても、リニア新幹線についてはJR東海の建設線であるとともに国家主権の及ぶ重要な国家プロジェクトでもあることを意味しています。

従って、150年にも及ぶ国家的最重要資産を有する上下一体の完全民営鉄道を無条件に、そのままグローバル資本市場にさらしたことは、先進国の中でも日本だけで、国家安全保障上極めて憂慮すべきことなのです。

これに対して日本には「外国為替及び外国貿易法」（1949年・以下外為法と言います）で国の安全を損なうような外国投資家の直接投資については、外為法27条によって外資の規制は可能であり、心配には及ばないという説があります。

しかし外為法は終戦直後の1949年に制定された通貨や取引の自由化を定めた一般法です。敗戦直後日本の通貨、貿易の取引の自由化と推進をうたったものです。対内投資規制に毅然と制限を課すことは、極めて例外的な場合しか想定していなかったと思われます。

なお、政府は2019年11月に外為法を改正して、外国人投資家の株式取得に関する審査基準を「出資比率10％以上」から「1％以上」に引き上げるなど厳しくしました。これはアメリカの対中国戦略に共同歩調をとって、規制強化の足並みを揃えようとする法改正で、残念ながらJRに対する外資規制にプラスになるものではないようです。

我が国は、初めから特に外資規制を必要とするものは、外為法に頼ることなく、個別に各事業法で明確な外資規制をしてきました。

個別業法上の外資規制としては次のものがあります。

- 日本電信電話株式会社法（日本電信電話法6条、制限割合3分の1）
- 電波法・放送法（放送法116条、125条、161条、制限割合20％）
- 航空法（航空法120条の2、制限割合3分の1）

●貨物利用運送事業法（貨物利用運送事業法6条、制限割合3分の1）などで、例えば日本電信電話株式会社法では「外国人等議決権割合が3分の1以上となる場合は株主名簿の名義書き換え禁止」などの措置を定めております。

鉄道の市場開放を規定している鉄道事業法が、外資に対しは何の規制もすることなく、それを一般法の外為法で規制するのはむつかしいといえます。

このままでは将来にわたって日本を代表するＪＲ本州各社が次々と外資にとられ、世界一と評価の高い日本の鉄道が外国支配の鉄道になってしまう恐れがあります。

今のＪＲは海外投資家にとって投資戦略から支配戦略まで絶好のターゲットで、このまま無防備を続けては必ずや狙われて行く危険性があります。

２０２０年3月末の有価証券報告書による上場ＪＲ各社の外国法人等の議決権付き持ち株比率は、次の通りです。（ ）内は前年の持ち株比率で、

ＪＲ東日本 30・１４％（33・４０％）、ＪＲ東海 21・７％（21・６２％）、ＪＲ西日本 29・８９％（30・９１％）、ＪＲ九州 35・５８％（44・７１％）でした。

２０２０年の外国法人等持ち株比率は、コロナウィルス禍による営業収益急落の影響を若干受け、前年に比しＪＲ九州、ＪＲ東日本は若干下げ、ＪＲ東海、西日本は、ほぼ横ばいとなっ

ております。

本件について、かねてより警戒を強めていると思われるＪＲ東海は外国法人等持ち株比率は2割台前半に収まっていますが、ＪＲ東日本、ＪＲ西日本はいずれも、既に3割を突破しております。驚くべきは、上場して間もないＪＲ九州が、昨年は4割超え、今年は少し下げて35・58％となっていますが、ここは外資の発言力の強い会社となってしまいました。

外国投資家の動きは、ファンドを通じて投資する場合、外資が直接投資する場合と子会社として日本法人を作って投資する場合があり、現状どの程度外資に買い占められているかは、実際の把握は困難です。

我が国の最重要基盤企業たるＪＲの外国鉄道化の拡大は、やがて国家の属国化につながる深刻な事態との認識のもとに、今からでも意を決して何らかの法的対策を講じて、先進諸外国のように民営化しても日本の鉄道としての安全保障を守って行くことが必要だと思います。

国鉄改革で無条件完全民営化に踏み切って30年余が経過してしまった日本としては、一般法の外為法改正によるわけにもいかず、欧州のように上下分離で対処することもできないわけで、次節以降で述べる米国の対米投資規制の最近の動きなどを参考にして、やはり鉄道事業法改正で外資規制条項を盛り込む以外にないと思われます。

4　欧州の鉄道市場開放の知恵

では欧州諸国の鉄道の市場開放がどのようになされ、鉄道重要資産をどう守っているかを、見ていきましょう。欧州各国の鉄道改革と市場開放の経過については小役丸幸子氏の論文「EU諸国における鉄道経営」（『運輸と経済』２００７年４月号」）をもとに、２０２０年時点の修正を加えて見てみます。

「EU鉄道の市場開放、競争の導入による活性化の基本方針の指令（ディレクティブ９１／４４０／EEC・１９９１年）は、

i　鉄道事業の国からの独立、
ii　鉄道インフラ事業と輸送事業の会計分離（いわゆる上下分離）
iii　鉄道事業の財務状況の改善、
iv　鉄道線路使用におけるオープンアクセス、の4点とされています。

この指令によりEUの鉄道政策の特徴として、鉄道事業の上下分離とオープンアクセスが明確な原則となりました。

このEUの鉄道政策をふまえEU諸国がどのような鉄道改革を行って、鉄道の国家的最重要

資産を守っているか、小役丸氏は、英、仏、独の具体的事例を次のように紹介しています。各国の改革を要約しますと、

○**イギリス**：イギリスでは1994年から鉄道民営化改革が行われ、インフラ事業部門と輸送事業部門の上下分離を行いました。インフラ事業部門は現在は「非営利組織ネットワークレール社」に移行し、輸送事業部門は貨物、旅客と別れて、旅客会社は地域・線路ごとに細かく分割され、それぞれ国とフランチャイズ協定を結んでいました。2020年3月に、新型コロナウィルスの影響により、鉄道利用客が大きく減少し、旅客会社のフランチャイズ制度は一旦停止し、9月には終了となりました。フランチャイズ制度に代わる「新たな運営形態」については、旅客会社と運輸省との「緊急事態回復措置協定」（ERMA）に基づき決まることになっています。いずれにしても、オープンアクセスは輸送事業部門で行われ、インフラ部門は事実上公的管理下にあり、鉄道重要資産は国家的に守られています。

○**フランス**：フランスでは1997年にインフラを保有するフランス鉄道線路公社（RFF）が発足し、フランス国鉄との間に上下分離が行われましたが、2015年にRFFとフランス国鉄が統合・再編されています。今は、親会社であるフランス国鉄グループ内に、鉄道輸送事業、インフラ事業、不動産事業の3部門が入る形となっています。

○**ドイツ**：ドイツについても、インフラ部門と旅客貨物部門で上下分離が行われています。ド

イツでは鉄道改革により発足したドイツ鉄道株式会社に、旅客、貨物、インフラの各事業部門別に設立された子会社が属しグループ会社としての運営が行われています。なお、ドイツ鉄道株式会社の株は国の所有で、完全な民営化は行われていません。

このように日本より若干遅れてスタートした欧州の鉄道市場開放の動きは、インフラ事業と輸送事業の上下分離を厳格に守り、インフラ部門は国ないし公的な管理下に置いたうえで、輸送部門はオープンアクセスといって自由な参入退出を認め、競争を促し、利便性の向上を図っているようです。

従って、欧州主要国の国鉄改革を見る限り、どんなに規制緩和し、市場開放しても、国家的に重要な鉄道資産を資本市場にさらし、流失させるようなことはなく、外資規制の法的措置に頼らず、国家安全保障は上下分離方式の厳守によって守られています。

欧州は歴史的に鉄道の軍事目的価値が高く、鉄道インフラを含む上下一体の鉄道ネットワークを、わざわざ分割して無条件に民営化し資本市場に株式を売り出すなどという発想はありえず、鉄道重要資産は事実上国家管理の下で国家安全保障最優先の対応をしています。

このように１９８７年、日本に端を発した国有鉄道の民営化市場開放の動きを見ていくと、欧州主要先進国が、鉄道輸送事業と鉄道インフラ事業を明確に区分し、旅客貨物の鉄道輸送事業についてはオープンアクセスという競争原理を導入して市場開放しているのに対し、線路、電路などのインフラ事業部門は国家重要資産として国家ないし公的な管理下に置いて、完全民営化しないで、鉄道重要資産の買収流失を確実に防いでいるのです。

繰り返しになりますが、日本の場合は、国鉄改革において、市場開放としては第二種貨物鉄道を上下水平分割しました。メインの旅客輸送は、北海道、四国、九州と本州を東日本、東海、西日本と全部で6つの第一種旅客鉄道会社に輪切り分割し、国有鉄道の重要資産、技術、要員を承継させ、法制上市場開放と競争は認められても、事実上独占的経営を持続する上下一体の完全な民営会社としました。

今後も成長発展が見込まれる本州のJR3社やJR九州などについては、鉄道特性を最大に発揮できる上下一体のこの改革案は正しい判断であったとはいえても、JR北海道やJR四国についてはローカル線だけでも上下分離をするなど低コスト形態の鉄道を模索すべきであったと思われます。そして、ローカル線の下部構造経費の負担軽減を図るべきでした。

最重要本州JR3社とJR九州の上下一体の完全民営化を容認するのであれば、鉄道重要資産、重要技術、ソフトウェアなどの流出と鉄道に対する国家主権の喪失を防ぐための外資規制を何らかの法制措置としてかけるべきであったわけで、これは重要な反省点です。

そこで、更に参考になりますのが、最近の米国の対内投資規制強化の動きです。その動きを追ってみたいと思います。

5 学ぶべし！ 米国の対内投資規制強化の動き

近年米国において急速に高まってきましたのは、従来の各国の制度や法令による外資規制のレベルを超えて、国家安全保障上の観点からの、よりダイレクトに個別の対米投資、合併、買収等の取引案件に対する対内外国投資規制強化の動きです。

米国トランプ大統領は、就任以来アメリカ第一主義を掲げて、矢継ぎ早に貿易不均衡是正措置を発表しました。特に中国の最先端技術獲得と対米投資戦略に対し警戒感を高め、技術流出の阻止と重要インフラを守るため、対米投資制限を厳しく実施しています。以下、Jonathan Masters and James McBride の「外国投資とアメリカの国家安全保障」（Foreign Investment and U.S. National Security、https://www.cfr.org/backgrounder/foreign-investment-and-us-national-security、最終更新日２０１８年８月28日）による背景説明を基本に考察していきます。

米国では１９８８年、当時は日本など、外国企業による米国企業の買収に対する懸念の高まりを受け「エクソン・フロリオ条項」を設けて国家安全保障上の観点から対米投資を規制する仕組みをつくりました。この条項は米国包括貿易・競争力法で1950年の国防生産力法721条を修正する形で設けた外資規制条項の通称です。

その中心的な役割を担っているのが「対米外国投資委員会（CFIUS・シフィウス）」です。これは国家安全保障上の脅威の有無という観点から、外国政府・企業による対米投資を審査し、承認もしくは禁止の判断を下す省庁横断的な組織であります。この組織は財務長官を委員長とする11名の閣僚等から構成されています。

対米外国投資委員会・CFIUSの原型は1975年のフォード政権下の創設で古いのですが、現在は2017年米国議会がCFIUSの権限を強化する「2018年外国投資リスク審査近代化法」（FIRRMA）と米国の重要技術の海外流出への対策を盛り込んだ「2018年輸出管理改革法」が含まれています。

これらの法律は、明示されてはいませんが、いずれも主に中国への重要技術の移転を防止することを目的とし、審査対象取引は拡大され、企業の買収案件については「米国の安全保障、重要技術、重要インフラを損ねることがないかどうか」を審査します。（以下野村資本市場研究所シニアフェロー関志雄氏の資料「中国経済情勢・米中貿易摩擦の影響を中心に」によりアメリカの動きをみていきます）。

2018年外国投資リスク審査近代化法・FIRRMAの実施により、現行の米国企業を

「支配する」外国企業の投資に加え、次のような事業活動も審査、規制対象となりました。
i 米軍施設・空港・港などに隣接する土地の購入・賃貸・譲渡
ii 重要技術・重要インフラ・気密性の高いデータを持つ米国企業に対する非受動的投資
iii 外国企業が投資する米国企業において、その支配権が外国企業にわたるまたは気密性の高い重要技術・重要インフラ・データなどへの外国企業のアクセスが可能になる権利変更。
iv CFIUS審査の迂回を目的とした取引・譲渡・契約などです。

iiの非受動的投資とは「外国人投資家が米国企業の取締役会メンバーとなる取引や、外国人投資家が米国企業の非公開情報を入手できる取引」などをいいます。

従って、例えば外資が米国の一級貨物鉄道の支配権の取得を目的として株式の取得を進めた場合、対米外国投資委員会（CFIUS）規則で「国家安全保障上の脅威の有無」が検討され、安全保障上の脅威という判断が下されれば、規制されることとなります。外資に対する投資規制としては、特に中国がらみで、米国をはじめとして米国以外でもオーストラリア、カナダ、欧州でも現在規制強化の動きがあります。中国に対する重要な技術移転の阻止及び重要インフラの支配権を守ろうという動きです。

米国の例えば一級貨物鉄道のような重要インフラについては、重要産業基盤企業（critical infrastructure company）として定義しており、「システム資産であり、物理的又は仮想的であって、合衆国にとって不可欠であり、当該システム・資産が無力化・破壊された場合には、セキュリティー、国家安全保障、国の公衆衛生もしくは公安又はこれらを複合的に弱体化させる」ものとされています。

こうして中国の潤沢な海外投資資金が、ＣＦＩＵＳの強化された規則などによって、米国と米国に同調する豪州、加州、欧州などから締め出しを食っていくと、必然的に行き着く先は日本へと向かってくることとなり、日本の技術力のある企業や鉄道など重要インフラ企業がターゲットとなり、今その両方を兼ね備えた「才色兼備箱入り娘が日本のＪＲ東日本、東海、西日本、九州の４社」となる恐れがあります。

日本では外為法27条で「外国資本の対内直接投資は、我が国の安全などを損なう恐れがある場合、外為等審議会を開催し、変更中止等の命令が可能」なので外資規制できるという説があります。しかし米国に見る対米外国投資委員会（ＣＦＩＵＳ）や、その強化された「外国投資リスク審査近代化法」（ＦＩＲＲＭＡ）に比べると、日本の外為法は時代遅れで現在の戦略的動向に対処するには不十分です。また民営化後のＪＲは、既に外資の進出をかなり容認しているだけに、外為法でＪＲを外資の餌食から守ることは更に無理があります。

近年日本の鉄道などへ外資が積極的な動きをしているにもかかわらず、民営化後のＪＲは何故か、外資容認の動きをとっています。

例えば、ＪＲの「鉄道通信の基幹インフラ」であり、かつ成長が期待された鉄道通信部門・日本テレコム（株）は、２０００年に英ボーダフォン、２００３年には米リップルウッドを経て、２００４年に現ソフトバンクに譲渡されました。今やＪＲの基本インフラである通信部門は外部資本に握られ、ＪＲの手を１００％離れています。

またＪＲ九州は外国法人等の持ち株比率が４割を超え、２０１９年には大株主の米投資ファンド・ファーツリー・キャピタル・マネジメント（５・１％の株式所有）が登場し、自社株買いによる株価つり上げや取締役３名の選任などを要求しました。今のところ、これらＪＲがらみの外資進出に対して、国土交通省はは明確な動きをとっていません。

これまで国土交通省は交通公共事業に対する海外ファンドなどの株式取得に対しては敏感に反応し、外資の侵攻に対してブロックし、交通公共事業の外資支配を防ごうとしております。その場合、国交省は外為法によってではなく、個別法改正措置を考えており、外為法による外資規制は選択しておりません。

○マコーリーグループによる日本空港ビルディング（株）株買い占め事件

例えば２００８年にオーストラリアの国際的インフラ運営ファンド・マコーリー・グループが、羽田空港の管理会社である東証一部上場の日本空港ビルディング（株）の株式の20％を保有した時、国土交通省は外為法によることなく、自ら空港整備法をを改正して空港運営会社への外資規制を盛り込もうとしました。国交省としては羽田空港の運営のような公共性の高い事業には、一般法である外為法の規定よりも強い空港整備法により外資規制をかけたかったと思われますが、それはその後にメインの成田空港や関西空港の民営化を控えていたからでもあります。

この時は閣内の複数の有力閣僚から「鎖国的、閉鎖的な手段に反対」との意見が出され、また日本空港ビルディング社が、空港の直接運用業務でなく、空港内のテナント管理業務会社にすぎないこともあって、法改正による外資規制は見送られましたが、マコーリー・グループも、それ以上に事態をエスカレートするようなことはしませんでした。

○サーベラスによる西武鉄道買収事件

また２０１３年には米国共和党系元副大統領ダン・クエール氏が顧問の投資ファンドサーベラスによる西武鉄道買収事件が発生したときも、国交省は陰に陽に西武鉄道の支援に回り、平和裏に西武ホールディングを外資から守っております。

ことの発端は、２００４年、西武グループの創業家出身の堤義明氏による総会屋への利益供与事件が発覚したことで、堤氏は有価証券報告書虚偽記載で辞任、２００５年逮捕、西武グループは上場廃止となり、みずほ銀行傘下になりました。同行から送り込まれた後藤高志社長の再建案がサーベラスからの１０００億円余の出資で、サーベラスは西武と資本提携したのです。その結果サーベラスは約３割を握る筆頭株主となり、発言権を得ます。

その後再建が進み、両者が対立しますのは、２０１３年西武ＨＤ（ホールディング）の再上場価格をめぐってでした。西武ＨＤが提示した１２００円から１５００円の価格に対して、サーベラスが低すぎるといって激しく対立、２０１３年にはサーベラスは経営陣の交代を要求し、ＴＯＢ（株式公開買い付け）を実施、持ち株比率を35％に高めるなど、緊迫した場面がありました。サーベラス側が要求した西武鉄道の秩父線などの不採算路線の廃止、西武ライオンズの保有をめぐっての対立などと言われました。

しかし勝負はここまでで、サーベラスは段階的に株式を手放し、西武ＨＤ乗っ取り事件は、西武側の粘り勝ちで収束しました。

これらの外資参入の事例は、外資が企業として実業への参入支配を果たしたり、実業の資産を手中に収めようというレベルですが、これからＪＲなどに向かってくる外資の侵攻はＪＲを支配下におさめることにより、日本国の国家主権をも押さえ込み、実質的な属国化への足掛かりとすることを狙っている見るべきです。

先進国の中で国家の基幹鉄道について、いくら民営化しようと、国家安全保障上の視点から外資規制をかけるなどして、適正に守っていないのは、日本だけです。

米国の「対米外国投資委員会」（ＣＩＦＩＵＳ）の対内投資規制強化の動きや更にそれを対中国を念頭に置いた「外国投資リスク審査近代化法」（ＦＩＲＲＭＡ）で「米国の安全保障、重要技術、重要インフラを損ねることがないかどうか」を範囲を広げて監視していく動きは、日本が学ぶべき不可欠の基本戦略とすべきであり、ＪＲ投資に対する外資規制や、次章で述べる外資による土地売買を適正管理することは、国家的重要資産、国土防衛など属国化防止の基本政策になると思われます。

第Ⅳ章　グローバル化の罠(2)　甘い土地取得制度で領土が危ない

1 外国人等の土地買収の現実

国家の成り立ちは、国民、領土、国家主権が自主独立していて初めて存立発展する、とされています。

日本の場合、国民の少子高齢化で人口減少が急速に加速し、過疎化、相続放棄などによる国土の荒廃、農政の失敗による減反、耕作放棄地の発生など、伝統的な土地管理制度の甘さによって膨大な所有者不明の土地が生じました。同時に外国人等による土地買いが進み、土地領土に対する国家主権が及ばない異常な事態となりつつあります。

これは、いずれ国土の一体性崩壊、属国化の危険な兆候です。

i 少子高齢化、過疎化による山間部や島嶼《とうしょ》部などの国土の遊休地化、農地の耕作放棄、相続放棄などによる荒廃化が、所有者不明の土地を増大させ、外国人の爆買い的土地買収の危機を増幅している恐れがあります。

ii もともと、国土の土地管理につきましては、日本の土地所有権は「永久絶対不可侵」の強すぎる私有権となっているにもかかわらず、公権力による土地管理は、急激に変化してきた相続、売買などの土地取引の実体把握が極めて不十分で、土地の正しい公的管理ができておりません。

その最大の理由は、土地売買で管理の基本となる土地登記について、日本の法制では登記義務はなく、その結果、所有者不明の土地が蔓延するなど地籍が定まらないことによります。従って日本では土地取引の実態を正確に把握できるシステムが未だになく、地籍調査は大阪や東京でそれぞれ10％台、20％台というありさまで、全国でも52％しかできていないといいます。

iii 日本にも外国人土地法という、明治憲法下ですが、1925（大正14）年制定の立派な法律があり、第1条で「その外国人・外国法人が属する国が制限している内容と同様の制限を政令によって、かけることができる」（土地取引の相互主義）とし、第4条では「国防上必要な地区においては、政令によって外国人・外国法人の土地に関する権利の取得を禁止、または条件もしくは制限を付けることができる」（外国人取得規制）という規制ができることになっていながら、戦後の新憲法下では政令が定められておらず、法律が死文化したまま放置されている残念な状況です。

従って現在日本においては、外国人等は、日本の何処の土地も自由に売買できるうえに、登記も任意ということで、無制限な転売やその利用、処分が放置されています。

iv 更に1995年、WTO（世界貿易機関）・サービスの貿易に関する一般協定（GATS）という条約において、日本は、「土地を留保せず、外国人でも誰でも自由に買える」という条約を批准しているために、外国人の土地買いの自由は、世界に向かっても野放しを公然と示しています。

その結果、今や北海道をはじめとして各地で広大な土地や森林が、中国資本を含めた外資に買われ、領土が少しずつ実効支配されつつあるのです。それを誰も正確に把握できていない、ということが問題となっています。

最低限諸外国の制度や規制措置に倣《なら》って、外国人等やその日本法人の土地取得について、適正な規制措置を早急に講ずべきですが、それが困難な現実があります。その結果として国土の所有者不明土地の拡大と外国人所有による「国土の侵食消失」の恐れが叫ばれているのです。

どうしてこんなことが日本において起こるのか？　それは日本においては、もともと土地管理制度が未発達で遅れていた上に、戦後、外国人土地法をメンテナンスせずに死文化させ、自由貿易推進のためとはいえ、外国人の土地売買に留保条件を放棄してきたことなどにより、グローバル化に対応する土地、領土を守る法整備等がなされてこなかったからとされています。

この外国人等による無制限な土地取得による買収拡大、領土侵食による安全保障の脅威も、これまでの政府、役所の土地管理政策の無為無策に近い結果と言えそうです。

このらの問題については、平野秀樹氏、宮本雅史氏らによって実証研究がなされています。以下の記述は、筆者が平野秀樹氏の講演を聴講させていただいた内容や両氏の現地調査などをもとにした平野秀樹『日本、買います』（新潮社）、宮本雅史、平野秀樹『領土消失』（KADOKAWA）、平野秀樹『日本は既に侵略されている』（新潮社）、宮本雅史『爆買いされる日本の領土』（KADOKAWA）などの著書を通して、論点を取りまとめさせていただきます。

宮本雅史氏の北海道での現地調査対象地域は、2016年以降の「平取町豊糠《ぬか》の農地買収状況」や「帯広のスイス牧場」、「赤井川村のキャンプ場」、「占冠村の星野リゾートトマム」、それに、「洞爺湖温泉の状況」などで、外国資本、とりわけ中国資本や中国の影が見え隠れする資本に買収された森林やゴルフ場、農地、太陽光発電所用地、観光地など3年にわたる定点観測を行ったものです。

その中で規模の大きい「平取町豊糠地区」、「赤井村のキャンプ場」、「占冠村の星野リゾートトマム」について買収状況などを要約させていただきますと次のような衝撃的な現実が浮かび上がります。

①平取町豊糠の農地買収状況

i　2011年、中国と関係があるとされる農業生産法人に、村がほぼ丸ごと買収され、219・4haある農地のうち56％に当たる123haの農地が買収されました。しかし非耕作状態を続け、地目の雑種地化を狙って将来の居住を考えているようです。

ⅱ　豊糠地区は農村地帯で、水源地でもありますから、自己完結的に自給自足の生活ができるため、自治区のように誰も入ることのできない閉ざされた社会を作ることが可能です。

宮本氏と交流のある中国人評論家の言として、

「中国は一つの目的をもって、25年前から沖縄を狙い、北海道は20年前から狙ってきました。移民のためには、これからもどんどん北海道の土地を買っていくでしょう。独自の集落、自治区を作り、病院や軍隊用の事務所を設置する可能性もあります」という話が紹介されています。

②「赤井川村のキャンプ場」

シンガポール系企業の日本法人が、東京ドーム58個分に当たる約２７０haある明治地区のキャンプ・フィッシング場を買収しました。その後国道の反対側も買収したので、全部で５００haにも及んでいます。さらに同村の元ゴルフ場を別の中国資本が買い取り、リゾート開発を計画するなどして、２０１８年の赤井川村の人口１１９２人のうち、中国人などの人口は12・７％に及んでいます。

③「占冠村の星野リゾートトマム」

我が国の観光開発の弱点と不安が見えてきます。

ⅰ 日本を代表する総合リゾート施設、北海道・占冠村の星野リゾート・トマムまでもが2015年に中国の商業施設運営会社「上海豫園旅游商城」に買収されたのです。「星野リゾートトマム」は、名前はそのままですが、代表者は上海豫園旅游商城に変わり、星野リゾート（長野県軽井沢町）が行っているのは運営管理だけにすぎません。

ⅱ 上海豫園旅游商城の大株主の中国民営投資会社「復星集団」（フォースングループ）は隣のリゾート地「サホロリゾート・エリア」（新得町）で宿泊施設を所有するフランスのリゾート施設運営会社「クラブメッド」も買収しており、星野リゾートトマムとサホロ・リゾートという日本を代表する二つのリゾート施設は「復星集団」の傘下に入っていることになります。

ⅲ その規模は、個別の観光地の整備、開発というレベルではなく、そこには一つの街が作られているのです。札幌市内の不動産業者の言として「トマムもサホロも袋小路になっていて、その先はどこにも行けません。2つは林道で繋がっているから、転用すれば1万人規模の大規模なチャイナタウンを作ることも不可能ではない」と語っています。

では、これらの地域はその後どうなっているか？　ですが、宮本氏は、「これらの地域はその後、どうなっているのか。外国資本による領土買収が規制されていない我が国では、買収された地域のその後については、誰も詳細に追跡調査されていない」「外国資本に農地や観光地などが買収されること自体問題だが更に、買収された後の使途などをフォローしないで放置することも、主権国家の体をなしていないのだ」と述べています。（以上『領土消失』）。

このような外国人や外国法人、関係する日本法人による土地買収は北海道に限らず、韓国人等による対馬などでも爆買いされ、島嶼部《とうしょぶ》を中心に佐渡、対馬、五島列島、奄美大島、沖縄などにも及んでいることが克明に報告されています。

特に中国資本にあっては、「土地の私有が全く認められていない社会主義国にあって、日本で自由に私有地を買収して、自国の主権を外国の領土内に確立することに等しいと考えているとみてよいのではないか」（東裕「憲法と国土」『憲法研究』50号）という強い動機があるとされています。買収目的も不明確なまま絶対的土地所有権を取得し、後、何に利用し、何に使うかも思いのままです。問題はそれを日本国として、中央も地方も殆ど把握できず、放任されたままとなっていることです。

外国資本ないし関係する国内法人による日本の土地買いは、まだ本格的なものとは思えません。しかし、これが戦略的な爆買いに変化しますと、現在の「あまりに立ち遅れた防備不足の体制」では平野、宮本両氏の言う「日本、『領土消失』」の恐れが、あっという間に現実のものとなるかもしれません。

外国人の土地所有に対して、全く何の規制もないのは、世界広しと言えども日本だけですから、ほぼゼロからの立ち上げとはなりますが、現在の日本の遅れた土地問題の基本課題を明確にして、その制度的立ち遅れを早急に是正し、せめて諸外国並みの適正な規制措置を講ずべきだと思います。

2 所有者不明土地が九州一島を上回る

外国人等による日本国土の土地買いが、これまでのように何の規制もなく進むようなことになると、日本国領土の完全性は急速に損なわれていきます。買い取った地域に住む外国人集団が多数を占め、あちこちで所属国の法に従う、などと言い出し、既述の国家的重要資産のＪＲが外国によって正当に所有され、更に後で述べる農業の外国企業支配などが進むなどということになりますと、維持すべき重要な国家主権が、あちこちで失われる恐れがあり、日本国は事実上自立国家の実体を失い属国化が進行してしまいます。

そういう恐れの根底にあるのは、これまでの我が国の土地管理制度の後進性と有効策が取れなかったことに問題があります。そもそも日本では、人でいえば戸籍に当たる地籍が未だに確定できていないという大問題があります。地籍と言いますのは土地の一区画ごとの面積、境界、所有者などの確定を言いますが、これが１９５１年の国土調査法に基づく調査開始以来、大阪で11％、東京で23％、全国平均がやっと52％というのですから話になりません。要するに日本では土地の所有、利用実態を把握する基本情報基盤ができていないということです。不動産登記簿、固定資産課税台帳、農地台帳というものはあっても、それらは目的別に作成され、精度は様々で、一元的に確定情報を把握できていません。

そこにバブル経済の崩壊、少子高齢化、地方の過疎化、耕作放棄地などによって土地神話が崩壊して以降、大都市で暮らす子供は過疎地の親の土地を相続放棄したり、相続しても登記しないで固定資産税逃れをするなど、その他いろいろな要因が重なり、いわゆる所有者不明土地が急増するという問題が生じました。

「所有者不明土地問題研究会」（座長・増田寛也・元総務相）の最終報告（２０１７年）によりますと、今や日本全国で所有者不明土地が約４１０万ヘクタールに及び、何と九州全体の土地面積を上回るに至ったといわれています。更に、この所有者不明面積は２０４０年には北海道の面積に匹敵する７２０万ヘクタールに増加すると推計しています。その理由は、例えば多死・大量相続時代、２０２０年～４０年に発生する相続のうち27～29％が未登記になる可能性があるからなどとされています。

２０１６年の地籍調査において登記簿上の全国の所有者不明土地は20・３％で、地目別では、林地25・６％、農地16・９％、宅地17・４％で、都市部でも14・５％です。所有者不明土地の経済的損失（管理不行き届きによるコスト、機会損失、税の滞納など）は、少なくとも2016年の1800億円から、2040年には3100億円に上り、累計では約6兆円に相当するとしています。

所有者不明の土地が、日本国内の所有者が不明という状態なら、固定資産税納税義務者の不明化など容認し難い問題があってもまだ国内問題で済ませることができます。しかしこれが外国人等の所有になって不明という場合は事態は深刻です。

この膨大な所有者不明土地が外国人等にどの程度わたっているか？　それすらわからず、「日本の土地買いに登場した外資も国籍を調べると、タックスヘイブン・（租税回避地）のペーパーカンパニーのシェアが最も多い」（平野秀樹『日本買います』新潮社）と指摘されていますし、いったい買われた土地はこれからどういうことになるか、所有者不明土地問題は底知れない不気味な国家安全保障の危機を感じさせます。

ことここに至っては政府も動かざるを得ず、「所有者不明土地の利用の円滑化等に関する特別措置法」を2018年6月に成立させ、所有者不明土地の利用を促す仕組みとして、所有者が分からなくとも、

ⅰ　所有者不明土地を円滑に利用する仕組み

ⅱ　所有者の探索を合理化する仕組み

iii 所有者不明土地を適切に管理する仕組みを可能とするなど、「所有者の分からない土地」を「地域に役立つ土地」に、というのが謳《うた》い文句で立法したのですが、日本の土地管理の根本的な立て直しには程遠いようです。

日本の土地管理制度がここまで荒廃し、所有者不明土地が拡大し続け、他方、外国人等の土地買いが加速していても、実態の把握が殆どできない現状は、国家安全保障上異常かつ危険な状態と言わざるを得ません。

結論を急ぎますが、現行の日本の土地管理制度は、領土保全も見据えた上で、早急な見直しと改善が必要で、第一段階の土地取引規制として、内外差なく最低限進めなければならないことは、第一に、法的に「登記の義務化」に踏み切り、相続登記の申請の義務化はもとより、一般の土地取引においても全て登記を義務付け、土地取引の全体把握を可能とすべきです。

第二に地籍調査の促進で、国家事業として先ず所有者不明土地の解決と解消に向けてあらゆる手段を講じて取り組みをつくり、最終的には期限を切って地籍の全数を確定させる必要があります。

3 外国人の土地取得規制がない「不動産ヘイブン」は日本だけ

なぜ日本の土地や地域が外国から狙われるのでしょうか。その答えも『領土消失』（宮本雅史・平野秀樹）で明快です。「その理由は簡単だ。誰でも買えて、全く自由に転売することができるからだ。しかも、工夫次第で外国人なら保有税を払わなくても済む。不動産売買が世界一フリーで、かつ所有者・使用者の権利が国内外差別なく保障されていることは、国際的にみれば非常に特殊であり、このことは国外でかなり知れ渡っている」「外国人土地所有者にとって日本は、楽園のような国家（不動産ヘイブン）だろう」。

では次に、諸外国の土地規制は実際にどうなっているかについて、平野秀樹氏は『領土消失』で外国人等の土地所有に対する主要国の防衛策が詳述されています。そこで英、独、仏について概要をまとめさせていただき、さらに近年中国の進出を受けている豪州について、その「静かなる侵蝕」の実例を引用させて頂きます。

○英、独、仏

英独では土地売買において国内外差別はなく、外国人も自由に売買できますが、土地売買後の登記制度は義務化されています。また地籍の管理も図面の作成には軍が関与するなど、

100%整備され、我が国のような未整備放置はなく、完璧に現況把握されているようです。仏は我が国の民法のお手本国ですので、土地登記は第三者に対する対抗要件でしかありませんが、地籍の管理は英、独同様完璧のようです。外国人の土地取引については、150万ユーロ以上の土地やワイン農地について事前届け出必要でかつ地元自治体に先買い権を認めるなど、必要な規制をかけています。

三か国の中では、仏が中国企業によって農地とワイナリーなどを買収され警戒を強化していますが、我が国と比べれば、はるかに盤石な態勢が敷かれており、「外国人所有→所有者不明化→ガバナンス不可を許さない仕組み」ができています。

○豪州

問題は、中国の一帯一路の進出に遭っている豪州で、平野氏は『領土消失』で次のように述べています。

「オーストラリアはここ10年、海外（特に中国）からの国土買収が急速に入り、『静かなる侵蝕』に対し、難しい対応を迫られている。狙われたのは、港湾、農地、鉱山である」「豪州の地方政府（北部準州）が国家の安全保障を顧みず、ダーウイン港の港湾エリアについて、中国企業（嵐橋集団）と99年間の貸与契約（運営権のリース）を締結してしまった。これには米国も驚いた。2015年、豪州政府はオバマ大統領から苦言を呈された。この港湾は米海兵隊の駐留拠点にほど近く、この契約によって部隊の出入りは中国の監視下に置かれることになってしまったからだ。ありえない顛末はほかにもある。2016年、上海CRED（上海中房置業）は豪州国内において、1件で実に773万ヘクタールに及ぶ農地を実質的に買収した。この面積は韓国の全土面積の8割に相当する広さで、当地は軍当局の戦略的兵器試験場にも隣接する」

豪州政府は、国土の買収が相当進んでしまって、さすがに本格的に規制に乗り出したようです。「日本も豪州の事態に似てきており、状況としては豪州の3年前に近いのではないかと私は思う」と平野氏は警告しています。

○アメリカ

アメリカ連邦政府は、対米外国投資委員会（CFIUS）という組織があり、国家安全保障上の脅威の有無という観点から、外国政府、企業などによる対米投資を審査し、承認、もしくは禁止の判断をする強力な規制手段を持っています。これを、2018年以降権限を更に強化し、特に中国の拡張主義や技術移転の制限に用いています。

すなわち、「現行の米国企業を『支配する』外国企業の投資規制に加えて、米軍施設、空港、港などに隣接する土地の購入、賃貸、譲渡、あるいは重要技術、重要インフラ、気密性の高いデータを持つ米国企業に対する非受動的投資なども審査対象になります」（野村資本市場研究所・シニアフェロー関志雄)。アメリカは国家安全保障上の観点から、一定の土地、重要資産、重要技術、それらを有する企業、特定地域の土地、農地などを外資から守る体制を強化しています。

なお、一般的な外国人の土地取得規制については、「アメリカは州当局ごとに独自の規制法を有しており、外国人の土地所有に制限をかけている州が50州のうち23州に見られる」(平野秀樹『領土消失』)としています。

平野氏は、諸外国は「要は、『買われてしまうと国益を損なうもの』や『買い戻せないもの』は売ってはいけないという視点が徹底されているのだが、今の日本は、その視点は弱い。自由貿易、規制緩和が、この国の繁栄のすべてだと信じて疑わない」ことを嘆いておられます。最後に、「最大最悪の問題として、外国人等買収者の所在も、買収土地の所在も不明のまま放置されているということです。」と結論づけています。

4 せめて諸外国並みの土地管理制度の導入を

外国人の着々と進む土地買収を、国家が殆ど把握できていない、というところに、日本の国家安全保障の危機があります。

「10年の時を経て、粛々着々と国土買収は進んでいる。この10年で現況を把握することは更に困難になっている。どの地目でどれだけ買収されたのか。どの省庁も抑えておらず、驚くべきことに国家として不明のままである」と『領土消失』（２０１８年）は指摘しています。

その結果、我が国の国土が、外国資本（外国法人、外国人、外資系企業）によって、これまで、どれほど買収されたのでしょうか。

平野秀樹氏が外資による実際の買収総面積を概算で見積もっております。それによりますと日本における「ソーラー用地としての買収面積（リースを含む）はおおむね16～23万haになる。（中略）これらの買収用地の相当数（3～4割程度）が外資と推定され、ラフに見積もると、少なくとも6万ha程度が該当しているとみられる」「森林、農地に加えて、リゾート地、ゴルフ場、その他雑種地などの一部も引き続き買収されており、公表数値などから大雑把に見積もると、これらの合計は、少なくとも4万ha程度と推計される。以上のことから外資保有の日本国土は、少なく見積もってもおおよそ総計10万ha程度になると見られる」「この面積は国公有地を除いた日本国土の0・4％を占めることになる」『領土消失』（宮本・平野）としております。これは政府の公式発表とは桁が2つくらい異なる規模の面積が外国所有となり、売買されているとことを示唆しているのです。

ただ、平野氏の「外資の土地保有・推定10万ha程度」というのも、本当のところは如何なのか？　とか、問題はそれらのうちどの程度把握できているのか？　など、実は誰も分からないということです。

ところで、『人口減少時代の土地問題』（吉原祥子）によると、これまでの日本の土地管理制度は明治以来、国家が国税徴収として直接管理していた土地台帳が１９６０年に無くなり、固定資産税は地方税となり自治体の固定資産課税台帳に移り、土地や家屋の所有者情報は、各地の法務局の不動産登記簿に分かれて管理されるようになりました。こうして日本の土地管理の基本は、明治時代からの国税徴収の土地台帳がなくなり、国による強権的な土地管理体制が終わり、私権保護のための不動産登記制度によることとなりました。しかも不動産登記は義務ではないところから、任意の登記情報が実質的に土地所有者の主要な情報源となって、国家の必要な権限が及ばず、今日の膨大な所有者不明土地を生むことになったといえます。土地の測量の意味も、国の税務の基本情報の把握という公的なものから、個人の権利の客体（対象）を明確にするためのものに大きく変わってしまいました。

要するに、国家が国税徴収のために土地台帳をもって、強権的一元的に土地管理をしていたものが、地方自治体の固定資産税課税台帳と地方法務局の登記簿に分かれ、権限が弱体化し二分化したことが、今日の所有者不明化問題にもつながったのです。

①そこで、日本における第一段階の土地管理の改善策としては、先ず地籍調査を急ぎ、土地管理情報処理システムを確立することと、併せて登記義務を法制化し、外国人等の土地取得も含めて所有者の明確化をはかることが先決だと思われます。

日本が明治の昔、民法制定に当たって模範としたフランスは、登記を第三者対抗要件としていますが、公証人の関与を義務化するなどして、相続登記などは完全になされ、地籍調査は100%完了しています。ドイツや韓国なども登記は契約成立要件で公信力があり、地籍調査は完了し日本のような問題は起きていません。

したがって、日本でも不動産取引や相続については、登記を義務付け、登記を契約成立の要件とし、所有者不明土地を整理していき、外国人所有者不明土地の把握も進めて、地籍調査を早期に完了させる必要があります。北海道などでの外国人等の土地取得の実態を見ていると、今後も限度なき、かつ不明の土地買収拡大の恐れが出てきております。しかも、その実態を国も地方も殆ど把握できていないということでは、外国人等に公然と国土の占領を許す属国化容認となりかねません。

②日本政府は、日本の法制はこれまで土地所有に当たって、外国人等を何ら規制せず、外国

人土地法はあっても使えず、ＧＡＴＳ（サービスの貿易に関する一般協定）で土地売買の自由を公認しているところから、今さら外国人の土地所有制限など出来ないということのようです。

しかし、世界経済のグローバル化や中国の一帯一路政策などにより、外資による国土買収の諸情勢はこの10年程の間に急変しております。

『領土消失』によれば、例えばオーストラリアは、特に中国に、地方分権の隙をつかれ港湾、農地、鉱山を大胆に狙われたため、２０１８年、自国の外資投資審査制度を活用して、外国投資家の農地取得に条件を付けたり、国家安全保障上の特別立法をして、急遽規制強化に乗り出しています。

また、「アメリカも２０１２年にオレゴン州の空軍基地の隣接地が中国の三一集団によって買収されそうになった時、オバマ大統領がＣＦＩＵＳ（対米外国投資委員会）の権能により、２週間以内の撤去と90日以内の完全撤退を命じている」などの措置を講じてきました。

更に近年トランプ大統領の対中国警戒論の下、ＣＦＩＵＳの権限をさらに強化して「２０１８年外国投資リスク審査近代化法（ＦＩＲＲＭＡ）」などにより、国家安全保障上の脅威があれば、現行の「米国企業を支配する外国企業の投資の規制措置」に加え、外国人による米軍施設、空港、港などに隣接する土地の購入、賃貸、譲渡を規制し、重要技術・重要インフラ、機密性の高いデータを持つ米国企業に対する非受動的投資なども審査対象とし規制しようとしています。

このような豪州やアメリカの対中国警戒態勢強化の特別措置発動は、日本にとっても土地、重要資産などについて、現行の無防備のまま放任することは、国家安全保障上有り得ないことを示唆しています。

③ 従って日本もこの際、第二段階の土地取引規制措置として、国家安全保障、公共の福祉、環境の保全、安全の確保などのために、せめて諸外国並みに登記の義務化をはじめ必要な土地取引規制を定め、それによる私権の制限も内国人、外国人を問わず等しく受けるということで、情勢の変化に応じ法制度を改善すべきです。日本でも、既に農地などは戦後の農地改革を経て、売買や賃貸借に当たって、一応農業委員会等の許可が必要となっています（農地法）。従って、山林や宅地などについても、内外国人を問わず、国家安全保障の確保や自然災害防止上の治山治水対策、宅地についても同様に都市計画などの目的で、一定の条件の下で利用形態について地方行政機関や中立委員会のチェックを受けることを土地取引成立の条件とすることは合理的であり、世界の常識にも合致すると思われます。
それにつけても、所有者不明土地を九州一島分も抱える日本の甘い土地制度は、グローバル化の今日では国家安全保障上危険極まりないことで、諸外国並みの土地取引規制として、不動

産登記の義務化を法制化し、期限を切って所有者不明土地の解消作業を断行し、地籍の整備完成を急ぎ、急変している国際情勢に対応できる土地管理制度を確立して行かなければならないと思います。

第Ⅴ章　グローバル化の罠(3)　ＴＰＰで「食の安全保障」の危機

1 ズルズルと後退する主権無き日本農業

ＴＰＰ協定（Trans Pacific Strategic Partnership Agreement・環太平洋経済連携協定）締結を主導してきたアメリカが、２０１7年トランプ大統領就任でＴＰＰ離脱しました。代わって日本が先頭に立って２０１８年末に、我が国を含め11か国でＴＰＰをまとめ、発効し、実施しました。アメリカのトランプ大統領がＴＰＰを離脱した真意は、ＴＰＰのような多国間貿易協定レベルは当たり前で、米国第一主義を掲げるアメリカはそれに満足せず、日本とは二国間で更に有利な交渉を展開しようとしたはずです。案の定、２０１９年に日本に対して日米貿易交渉を仕掛け、日本はＴＰＰの防衛ライン死守で苦闘しました。

農水省は、ＴＰＰをめぐる当初議論の２０１０年段階で、農産品重要5品目である米、麦、乳製品、牛豚肉、砂糖の関税が大幅に引き下げられると、輸入食品に押され日本農業は大打撃を受け、「農業生産額は4兆１０００億円減少し、食料自給率は14％に下がり、危機に直面する」という試算を発表しました。２０１３年に農業生産の減少額は2兆６６００億円程度と減額修正されましたが、それでも当時の日本の農業生産額を8・5兆円として、３割以上の減少という大変な想定でした。

確かにＴＰＰによって、これまで日本農業を守っていた関税が大幅な引き下げや撤廃されると、輸入が増大し日本農業は大打撃を受けます。

しかし、ＴＰＰの日本農業に対する本当の脅威は、政府、農水省はあえて言及しませんが、関税引き下げによる輸入増大で農業生産が減少するなどの問題だけでは決してありません。ＴＰＰなどの自由貿易体制においては「非関税分野（金融、投資、衛生、知的財産、政府調達など）の広範にわたる国内障壁の撤廃」を迫られ、これによって最終的に、日本農業は世界の種子ビジネスを握る多国籍企業に厳しく「種」を支配され、農家の自家採種などはできなくなり、農業主権を奪われてしまうのです。

長年、農業発展の根幹をなしていた開発育種の能力を失った主権なき農業は、国家国民に対し食料の安全保障責任を果たせず、国家を自滅に追い込んでしまいます。


日本はなぜこのような日本農業の犠牲を払ってまでＴＰＰ協定にこだわったのでしょうか？

戦後日本は米ソ冷戦下で、日米同盟の下、ＧＡＴＴ（貿易と関税に関する一般協定）を基礎とする自由貿易に参画することで、自由貿易の恩恵を受け経済発展を遂げることができました。しかも冷戦期のＧＡＴＴ体制では工業製品の関税交渉が中心で、農業や国内制度の在り方など各国の自立性は十分認められていました。

ところが日本は２０１３年アメリカが主導していたＴＰＰに、過去の自由貿易の成功体験から、「平成の開国」、「バスに乗り遅れるな」、「GDPの1・5%の一次産業を守るために98・5%を犠牲にするのか」といって貿易立国至上主義の立場で参加表明をしました。

これは、農業保護のために「工業品など二次産業の競争力を高める機会を逃してはならない」ということで、「日本農業が犠牲となることはやむを得ない」という議論で、実は国家安全保障の見地からは、「危うい考え」なのです。

その農業保護も、目先の重要5品目の関税の大幅引き下げの打撃から「当面金銭的に農家を救う」と言ったのであり、世界の熾烈《しれつ》な食料戦争に対峙し「日本農業の基本を守り、国を支える基盤となる農業に育てる」ということではありませんでした。

しかし1989年に東西冷戦が終わり、アメリカ一極集中下のグローバル経済体制になって、TPPなどの世界の貿易協定は、工業製品のみならず農業やサービス産業も交渉の対象となるとともに、関税問題のみならず、非関税障壁として各国の金融、投資、衛生、政府調達、知的財産権などの既存の国内規制制度の撤廃等が交渉の対象となってきました。農業分野でいえば貿易相手国の農業保護政策や食品の安全基準など国内制度の相違まで「非関税障壁」として取り上げられ、既存の法律制度も自由競争を阻害するとやり玉にあがり、国家主権が脅かされることとなりました。

多国籍企業などグローバル化した企業は、TPPなどによって企業の自由競争の障害となる相手国の国内制度の改廃を主張でき、訴えられた相手国は、国際裁判でその反証を立証できない限り損害賠償の責めを負うことになります。これをＩＳＤ条項（Investor-State Dispute Settlement）の発動といい、一企業でも、何と相手国の国家主権を凌駕《りょうが》する力を持てるのです。

その結果日本農業は、次節で述べますように、種子法を廃止し、種苗法まで改正することで、もともと弱点のあった育種開発体制を崩され、巨大バイオビジネスの高等戦略のまえに、ズルズルと「種の支配力」を失い「主権なき農業の道」を辿らざるを得なくなるのです（なお種苗法の「農家の播種など自家増殖に制限を加える」改正は２０２０年秋の臨時国会で成立しました）。

確かに、日本はＴＰＰによって、工業製品は、対等あるいはそれ以上の貿易取引が見込まれても、農業については、関税の引き下げによって、価格競争に負け生産量が低下するとともに、世界の強力な種子会社等に、「遺伝子組み換えの特許権付きの種で支配」され、農業の主権を失い、やがて食料主権を喪失してしまう恐れがあるのです。

「種の支配」とは、特許権付きの遺伝子組み換え種子を擁するグローバル種子ビジネスに、農業生産における育種、播種などの主権を完全支配されることです。農業の基本たる種の支配権を失っては、二千年の歴史を有する日本農業といえども「万事休す」です。国家の食料安全保障が失われ「食の敗戦」は国家の自滅以外の何物《なにもの》でもありません。

ここで我々が意を決しなければならない大事なことは、日本にとって「日米安保条約堅持」と「国際自由貿易発展」は確かに重要であるとしても、そのために、グローバリズムの罠に嵌って「一方的に日本農業を犠牲にしてはならない」ということです。「日米安保条約」と「国際自由貿易」と「日本農業の自立発展」は、本来、三者鼎立《さんしゃていりつ》してこそ、日本の真の発展があるのです。

2 「特許権付遺伝子組み換え種」の日本農業支配
―種子法廃止の中央政府に地方自治体の反旗―

農業の健全な発展のためには、
一、土地、水、日照などの恵まれた自然条件とできれば近くに消費地があること、
二、いい形質を有する豊富な種子、
三、肥料、農家の手間など、三つの要素が欠くべからざる必要条件とされています。中でも「良質な種の育種栽培」は農業の基本であり、種はグローバル化時代にあって今や最高の「戦略物資」となってきました。

その「種」ですが、近代日本の種の歴史については『タネはどうなる』（サイゾー）で元農水大臣山田正彦氏が分かりやすくまとめておられますので、少し長くなりますが引用させて頂きます。

日本については2千年以上昔から、主食の米などの種については、農作物の中でも神聖なものとして扱われ、それは天皇自ら収穫に感謝される新嘗祭《にいなめさい》や伊勢神宮をはじめ全国津々浦々に残る神事やお祭りに引き継がれております。

「明治時代になり、日本が近代国家として、形を整えてから、農商務省の農事試験場で政府が各地で栽培されているコメ、麦の種子を集めたところ、既にコメだけで4000種を超える種子があったといわれている。」（中略）

「現代のような品種改良制度ができたのは1903（明治36）年になって農事試験場において研究者、専門家による人為的な変異を作り上げる『交配』の技術が開発されてからである。」

（中略）

「第二次大戦後、日本は当然のことながら食料不足に陥り、農家は強制的にコメを供出させられるようになった。1942年2月には『食糧管理法』が制定され、米穀の配給通帳制度が全国で始まった。」（中略）

なお、戦後、食料事情ひっ迫を背景に、1947年に農産種苗法が制定され、優良苗種の品種改良が奨励されました。本法は1998年に全面改正され、植物の新品種の創作に対する保護を定めた現在の種苗法となっていきます。

「戦後、日本政府は国民を二度と飢えさせることがないように、1952年、私たちが生きる上で欠かせない食料の種子、コメ、麦、大豆を安定して供給できるように『主要農作物種子法』(以下種子法)を制定した。

コメの自家採取を毎年続けていくと、少しずつ劣化していくことを農家は知っているので、良質な種子を育種しなければならないが、それにはかなりの手間とお金が必要とされる。できればコメ栽培だけに専念したい農家は多い」

「こうして種子法では主要農作物であるコメ、麦、大豆の種子は国が管理して、各都道府県において優良な品種を選んで、その種子を増殖、安定してコメ農家に供給することを義務づけたのである。種子法の成立、それに伴う農林省による運用要綱(種子圃場の選定、検査法などを細かく定める)の実施によって、各県の農業試験場において優良な品種の改良は急速に進み始めた」

その結果、日本の種子資源の育種・開発は、1986年以降民間参入も認められましたが、コメ、麦など大方は「主要農作物種子法」によって、国や県の公的管理の下で原種などの生産を行い、毎年固定種を更新したものを農家に販売して作付けを行っており、公的機関の責任の下で穀類の育種開発体制は、地方現場で形成されてきました。

しかし、現実には日本の穀物の自給率は、２０１８年度で全体では29％しかなく、コメだけは97％ですが、主要穀物の小麦＝12％、大豆＝６％、トウモロコシ＝０％でした。コメ以外は殆どアメリカなどからの輸入依存で、主要農作物種子法があっても、コメ以外は自給できていません。特に古来から日本人の基本栄養源である大豆の栽培が著しく低落した現実は深刻で、このまま放置できるものではありません。しかも、小麦にはまだ見られませんが、輸入されたトウモロコシ使用量の80％、大豆の75％は、遺伝子組み換え種の輸入ですから、日本の穀物の質的劣化の問題もあります。

結局、日本の穀物は種子法で守られていても、コメ以外の大豆、麦、トウモロコシなどは、質量とも総崩れで、日本農業の体質の弱さを浮き彫りにしており、現状は食料安全保障上危険な状態にあるということです。

ではなぜ小麦が遺伝子組み換えでなくて、トウモロコシや大豆が殆ど遺伝子組み換えになっているかについて、前掲『食の戦争』の著者鈴木教授は、ＮＨＫスペシャル「世界同時食料危機　アメリカ頼みの食が破綻する」（２００８年10月17日放送）という番組で、アメリカ穀物協会幹部が「小麦は我々が直接食べるので、遺伝子組み換えにはしない。大豆やトウモロコシは家畜のエサだから構わないのだ」という発言を紹介しています。

この発言について鈴木教授は「豆腐やみそ、納豆、豆腐などで大量の大豆を消費している日本人には、見逃せない発言だ」と警告しています。

ＴＰＰ時代には、多国籍企業によって、大豆はもとより国内４０００種もあったコメがやがて「数種の特許権付きの遺伝子組み換え種」にとって替わられ、日本農業は種を失いその主権を喪失し、国家安全保障を脅かします。

一方野菜類の「種」については、既に40年以上前から国内農家の自家採種は10％程度に過ぎず、原種は日本から持って行っているとは言うものの、90％以上は東南アジアなど海外産の「一代雑種」（Ｆ１・First Filial Generation）の輸入となっていて、野菜の種については、とうの昔に日本農家は、種の主権を手放した外国依存農業になっています。

確かにＦ１の野菜は形がそろっていて販売に有利で、市場でも受け入れられ今後とも広まっていくと思われますが、Ｆ１の種生産に遺伝子組み替えの技術が導入されることは時間の問題で、今後海外の遺伝子開発導入種などの攻勢を考えると、中規模の種屋さんの言では、野菜の「種」についても、「お先真っ暗」だという話をしていました。

そこに、２０１８年に主要農作物種子法が、ＴＰＰ協定締結を見越して廃止され、稲、麦、大豆などを対象に国や県などの農業試験場などの公的機関の品種改良、優良種子普及の活動が終了することとなりました。

その前の２０１７年に、農業競争力強化支援法が施行されて、研究機関の品種改良の成果物や知見を民間事業者へ提供せよ、とこれまでの種子開発のノウハウを民間へ譲渡する体制を敷きました。

更には２０２０年に入り、種苗法の改正案が秋の臨時国会で成立しました。現行種苗法21条では農家が収穫物から「種」や苗木を採取し、栽培する場合、登録品種であっても自家増殖は原則自由だったものを、これからは制限しようという内容になっています。

『タネはどうなる』の山田正彦氏は、一連の早手回しの政府の動きについて、「ＴＰＰ実現のために米国の投資家、多国籍企業の要望を聞いて、そのために必要な措置を取りますと約束したことになる。これを受けて、種子法は廃止され、新たに農業競争力強化支援法が成立した。そして種苗法21条が改正されようとしている」（注：種苗法は改正済み）。

種子を制する者は世界を制するといいますが、今や世界から種子の大手専業会社は減少し、遺伝子組み換え種子と農薬等に高い技術を持つバイオメジャーにとって替わられています。このような巨大なバイオメジャーが、特許権付の種を支配することによって、農業を支配し世界の食糧を支配しようとしているのです。

そして、「遺伝子組み換えの種子はモンサントが90％のシェアを持っている。モンサント法案と呼ばれている自家採取禁止法案（農民が自分たちで種子を保存したり、交換したら犯罪になる）は、農家が毎年これらの種子企業から種子を購入しなければならなくなる。今ではモンサント法案は、南米諸国からアフリカ諸国を駆け巡っている。」と山田氏は述べています（図表7 世界主要種子会社の情況 参照）。

現在の日本農業は、秀吉亡き後の大阪城のように、種子法廃止（公的機関の育種廃止）、競争力強化支援法（種子開発ノウハウの民間へ譲渡）、種苗法改正（種子自家増殖の制限）によって、TPP適合を前提に、外堀が埋められ、自家採種の原則はやすやすと落城し、多国籍企業によって特許権付き遺伝子組み換え種による農業に変貌して、農業主権を明け渡すこととなりそうです。

政府が種子法まで廃止して、グローバル企業に日本農業への参入の道を開けた以上、世界の種子企業は、直接あるいは日系合弁企業などを通じて雪崩《なだれ》を打って進出してくるでしょう。

ただ日本農業が新興国のように殆ど丸ごと飲み込まれるかどうかは、地方自治体や農業関係の地方組織、農家が消費者や食産業の協力を得て、見識をもって主権のある農業を貫けるかどうかにかかっており、まさにここに日本農業の命運がかかっているのです。

世界支配を狙うバイオメジャー時代の到来

1位	モンサント（アメリカ）	→	独バイエルに買収（2018年）
2位	コルデバ・アグリサイエンス（アメリカ）	←	旧ダウ・ケミカルと旧ディポンの合併後のアグリビジネス部独立（2019年）
3位	シンジェンタ(スイス)	→	中国ケムチャイナ（中国化工集団）に買収（2017年）
4位	リマグラン(フランス)	—	仏の農業協同組合、ＥＵ売上高トップ
5位	バイエル（ドイツ）	—	独の医薬・農薬大手（モンサントを買収済）
6位	ＫＷＳ（ドイツ）	—	独のバイオメジャー
7位	サカタのタネ（日本）	—	グローバル化推進中

(注)・独バイエルのモンサント買収額は660億ドル（6.8兆円）、中国化工集団のシンジェンタ買収金額は430億ドル（4.4兆円）と巨額なことが注目される。
・なお日本のタキイ種苗は、9～11位にランクされる模様。

（諸資料より著者作成：2019年）

図表7　世界主要種子会社の情況

筆者は、このうえは消費者、食産業が農家と直結する「品質重視の御用達《ごようたし》の農業に大転換」を図る以外に、この難局を切り抜ける道はないと考えておりますが、その日本農業再生方策は次節以降で論じていきます。

さて、種子法が廃止されて２年が経過していますが、これに反対して「これまでどうり都道府県による品種改良と種子の提供ができるよう」種子法と同じ内容の条例制定の動きが地方で広がりました。

地方の種子条例制定の動きは、２０１８年４月の新潟県、兵庫、埼玉を皮切りに、２０２０年７月現在で、北海道、宮城、山形、茨城、栃木、群馬、長野、富山、石川、福井、愛知、三重、岐阜、滋賀、鳥取、広島、宮崎、熊本、鹿児島など22道県で制定済み、さらに10府県程度種子条例が制定される見通しとなっています。「このような地方の種子条例の動きは中央政治、国会までも動かすこととなった」と地方の条例制定の動きを山田氏は歓迎しています。

種子法廃止を巡って中央政府と地方自治体が真っ二つに割れて、あたかも室町幕府を東西二分して戦った「応仁の乱」（１４６７〜７７年）のようですが、日本農業の命運をかけた外資との「食料戦争」が種子の支配をめぐって始まっており、地方自治体と農業現場のリーダーシップで、本来の日本農業の基本条件を何とか守り抜いていただきたいところです。

3 種子を制する者が国を制する

筆者は、20年前に米国カリフォルニアで、後述するオーガニック冷凍弁当「オーベントー」の製造販売に当たりました。２年程アメリカの米《こめ》農家の「桁《けた》が二つは違う巨大かつ強大な農業経営」をつぶさに見て、食産業に携わるものとして、やがて来る日米食料戦争における有効な共存策を模索したものでした。

また、ほぼ20年前に山田正彦氏が訪米されたときに、既に「種子を制する者が世界を制する」というどでかい看板が掲げられていたと述べています。この看板が今、日本の食料安全保障を揺るがす深い意味があったことを示唆しています。

　そもそも戦後日本農業はＧＨＱ（連合国総司令部）による農地解放によって、１９４万ヘクタール（以下ha）の農地を４７０万戸にに及ぶ小作農に、ただ同然の価格で分け与えてスタートしました。これによって日本農業は民主化しましたが、多数の小規模自作農家が巨大農協組織に包まれ、保守主義を標榜《ひょうぼう》する４７０万戸の１ha未満の非効率小規模農業生産体制を運命づけられました。その後農家戸数は減少の一途をたどり２０１４年で農家数は２１５万戸となって、１経営体あたりの農地面積は２・５haと少し増えたものの、それでも、アメリカの農家平均の１００分の１、ＥＵの農家と比較しても10分の１程度です。

　この小規模自作農は農地法で牢固《ろうこ》に守られ、既得権意識も強く、半世紀余を過ぎた今日、政府が進める農業の規模拡大など到底できない致命的な欠点があります。

　従ってコメを作っても麦や大豆を作っても、アメリカや豪州、ブラジルなどと生産規模、効率が圧倒的に違いすぎることと、特にコメについては日本政府の直接買い上げによる高米価政策をとってきたため、海外の高品質米と比較しても実勢価格差が６、７倍あるため、とても価格競争力がありません。

　そこにＴＰＰで米欧の多国籍企業が特許権付の遺伝子組み換え種子を持ち込んで、効率的工業化農業を展開し価格競争が始まれば、日本農業の現場は根こそぎさらわれ、自立して従来の優れた在来の固定種を守った本物の農業を継続できる農家がどのくらい残ってくれるか？　という心配があります。

『食の戦争』で鈴木教授は遺伝子組み換え種子（ＧＭ種子）の農業支配の実態を次のように述べています。「モンサント社のＧＭ作物の種は『知的財産』として法的に保護されているので、農家がモンサント社のＧＭ大豆の種から収穫した大豆から自家採種した種を、翌年播くことは『特許侵害』になるのである。モンサント社の『警察』（モンサントポリス）が監視しており、違反した農家は提訴されて多額の損害賠償で破産するという事態がアメリカでも報告されている。農家が生産を続けるにはモンサント社の種を買い続けるしかなく、種の特許を握る企業による世界の食糧生産のコントロールが強化されていく」と「種子を制する者が、農業を制する」厳しい現実を示しています。

大豆は昔から日本民族の重要な栄養源です。みそ、しょうゆ、納豆、豆腐などが、遺伝子組み換えの輸入大豆に全て変わってしまっては、いくら日本料理の良さを強調しても食べる気力を失い我々の食生活は成り立たなくなります。またこれまで種子法で守られてきた日本農業で、主食のコメについて４０００種類からある豊富な品種を、外国企業の数種の遺伝子組み換え種に転換し捨て去ってしまうなどと言うことは亡国の沙汰としか考えられません。

自然界の生成発展の中で、本来公共物として自然と贈与の法則に従って育種されてきた「種子資源」が、交換経済における最高の戦略物資に変質してしまいました。そして商品価値を高めるために、例えば野菜の形を揃えるなどの便宜目的の種のハイブリッド化（一代限りの雑種を意味する人為的に開発された交配種）や市場支配目的の人工的な遺伝子組み換え技術の導入により、ほんの僅かな人工種に画一化し、企業によって独占され、市場が支配されることになったら深刻な問題が生じます。

i　一つは、特に遺伝子組み換え種については、その作物を食べた害虫がコロッと死ぬような作物を人間が食べても安全かどうかという安全性の論議があります。この安全性論議にはOECD（経済開発協力機構）などが急性毒性は認められないので従来種と「実質的に同等」だとして安全だということになっていますが、長期的に見ても安全か？　という疑問は残ったままです。

ii　もう一つは、より根源的な問題として、持ち込まれた遺伝子組み換え種によって、これまで営々と育ててきた在来種が、組み換え種の花粉の飛来で混雑し、駆逐されてしまうことです。強力な遺伝子組み換え種に、自然の在来種の田畑が席巻されますと、日本農業のみならず、世界中の多くの在来種、原生種が消滅の危機を迎えることとなります。まさに「種子」を支配するものが農業を制し、国を制し、世界を制することになります。

世界中が遺伝子組み換え種による農業などと言うことになりますと、その安全性の論議が当然ただされます。それと共に、これまでの人類発展の基礎であったそれぞれの農業や農業文化は、独自固有の多数の「種子」を失うことで破綻、崩壊に瀕することになります。

食料危機の本当の意味は、単に食料の量的欠乏だけではなく、質の劣化、種の枯渇の危機であり、ひょっとすると人類滅亡の恐れともなるのです。

4 日米食料戦争、負けそうな日本

戦後の日本経済は、日米同盟の下、鉱工業製品中心に世界の自由貿易体制に積極的に参加することで、経済的繁栄を実現することができました。一方、戦後日本の農業政策は、農家、農協の所得向上を都市労働者、都市企業なみに引き上げることを目論み、米偏重の高米価政策をとったため国民の米離れが進み、1人当たり米の年間消費量は、1962年118kgが、2015年には54・6kgと、半減以下になる有様でした。米需要がどんどん減るため、政府は生産調整と称して減反政策を進めるなど食料政策は悪循環に陥り、その結果、米以外の小麦、大豆、トウモロコシなどは大方アメリカからの輸入依存となり、2019年の我が国の食料自給率（カロリーベース）は37%にまで低下し、農産品など一次産業生産額はGDPの1・5%にまで落ち込んだのです。

従って、当時はアメリカが主導するTPPに、日本も参加するにあたって、関税の一律大幅引き下げなどで日本農業は大打撃を受けます。GDPの98・5%を占める自動車など工業品の貿易の拡大を図るためには、「GDPの1・5%しかない農業関係者には我慢してもらわないといけない」という「危うい正論」が出来てしまいました。

しかし、自国の農水畜産業は、仮にGDPの1・5%とはいえ、実は1億2000万人の国民の生命と生活を支える必要不可欠の重要基盤そのものなのです。

今や世界的には「食料は軍事・エネルギーと並ぶ国家存立の三本柱だ」と『食の戦争』で鈴木教授は述べています。実際、自国の食料の高品質維持と自給自足は大原則で、軍事力、エネルギーの確保とともに、国家安全保障の基本なのです。それが証拠に先進国は、どこの国でも食料の質の向上を目指し、オーガニック栽培や量の確保による自給率の向上に熱心で、欧米各国とも自給率は100%ないしそれに近い水準にあり、日本のように37%などという低自給率で食料安全保障を無視した農政を敷いている国はありません。

TPP参加に当たって、いかに問題だらけとはいえ日本農業に見切りをつけ、工業製品優先の自由貿易体制推進に今後とも邁進することは、日本の食料安全保障、ひいては日本の真の独立と繁栄にとって本当に大丈夫なのか、冷静に考え直してみる必要があります。その理由は、既にアメリカが仕掛けているとされる「食料戦争」が世界規模で始まっているからです。日本もＴＰＰ参加や日米二国間ＦＴＡ（自由貿易）協定を進めると、日本農業を工業製品と同じ自由貿易体制に放り込んでしまうことになります。その結果、関税の大幅引き下げとともに関税以外の国内農業支持施策など非関税障壁も取り払われ、日本農業があっという間にアメリカ多国籍企業の支配下に陥り、国家が担うべき農業主権、食料主権を失い、独立国が守るべき最低限の生存基盤すら喪失する恐れが出てくるのです。

日本は先の大戦で、勝ち目のないアメリカと戦って負けましたが、現在、日米安保条約によって独立と平和が保たれて、国際自由貿易によって経済的繁栄を遂げております。それは、自国の自衛隊のほかに、米軍５・５万人の圧倒的な軍事力の常時駐留のお陰です。

今度また、事実上の日米食料戦争で、米国多国籍企業に主要農産物の「種」や農薬を押さえられ、我が国の農業主権、食料主権を失わんとしています。日本国民の生存の基盤である「日本農業と食料の確保」が外国の多国籍企業の完全支配下に入り、いよいよ食料主権まで失う属国化へと進んでいるのです。

日本政府はこのような多国籍企業の日本進出に対して、既に「主要農産物種子法」を廃止して農家に対する公的「育種」支援を打ち切り、「競争力強化支援法」まで制定して公的研究機関の知見の民間事業者への提供を促《うなが》し、さらに「種苗法を改正」することにより、進出してくるバイオメジャーなど民間事業者の障壁除去に対応しているのです。

しかしこのことは、仮に日本政府に多国籍企業侵攻の認識と防御力があって、種子法などを守り抜いたとしても、多国籍企業は障壁撤廃のために、投資家対国家間紛争解決のＩＳＤ条項などを使って非関税障壁撤廃を執拗に求め、迷わず裁判を起こし、自由競争原理で突破してくるでしょう。

従って日本がＧＤＰの98・5％を占める工業製品中心の多国間自由貿易を国是として進めようとする限り、農業も国際自由貿易の原則に従わざるを得ず、特に農家の自家採種を認めない多国籍企業の遺伝子組み換え種の支配などによって、戦略展開は進み日本農業は自滅の瀬戸際に立たされます。

我々が何もしないと、農業と国民生活発展の根源となるこれまで営々と育て上げてきた豊富な在来固定種などの「種資源」は使いたくても放棄せざるを得なくなり、いざという時でも自給自足の出来ない農業となって、２０００年にも及ぶ日本農業は事実上終わってしまうのです。

しかし21世紀の食料危機、食料戦争の時代にあって大事なことは「安全で良質な食べ物を如何に自立して安定的に確保するか」ということであり、国家も個人も原則は「食の品質重視と自給自足」が基本だということです。

遺伝子組み換え食品が安全かどうかについては、遺伝子組み換え食品は食べ物に基本的に必要とされる「本物、自然、健康」に沿うものでないことは確かです。食べ物は安全、高品質でない限り意味を成しません。日本農家もこの際、安全、高品質農産物の生産に注力し、消費者、食産業がこれと直結し支えるという関係を強めることが出来れば、国民の健康は守られ、農業主権、食料安全保障も守られます。

ただし、この「食の戦争」の攻防の当面の相手は日米同盟を結んでいるアメリカ国家ではなく、自由貿易競争のバイオメジャーなど「アメリカ多国籍企業」なのです。それも「アメリカ企業対、日本の中央政府、農協中央」ではなく、「アメリカ企業対、日本の農家、消費者、食産業、地方政府との対等の戦い」です。「日本農家、消費者、食産業、地方政府の農業の在り方と食べものの高品質化の選択を貫けるか否か」で勝敗が決するということです。

活路は、第Ⅵ章　3—②「日米食料戦争は『1億人総農業』で耐え抜く—2001年オーベントー騒動の意味と価値—」で述べますが、消費者、食産業と農家、地域農協、地方政府、宅配物流業者あるいはスーパーマーケットなどと農家との直結態勢による「一億人総農業」実現にあります。これができれば「日米食料戦争に負けることはなく、日本農業はよみがえり、21世紀の「農・工商両全の理想国家」建設も夢ではないと考えます。

第Ⅵ章　国家崩壊4大危機克服に挑む

21世紀も20年ほどが経過して、巨大地震に襲われたり未知の新型感染症に脅かされるなど不気味な時代ではありますが、日本の国家的危険の発生は、1995年の阪神淡路大震災、地下鉄サリン事件の発生あたりから、巨大地震、深刻で重大な事故、事件、テロなどが頻発するようになりました。

中でも、2011年に東日本大震災と東京電力福島原発の過酷事故が発生し、国家安全保障崩壊の危機に至ったことは衝撃的で、現在の「日本の危うさ」は、「原発安全神話の罠」など、むしろ「内在的な見えざる防備不足の罠」による、ということを強く危惧させました。

従って当面、「危うい国、日本」に襲い掛かってくる重大な危険は、外敵からの核ミサイル攻撃の危機というよりも、30年以内に確実に起こるであろう人類未体験の宿命的な巨大自然災害とその経済被害であったり、激化するグローバル化の罠ともいうべき、外国資本、多国籍企業の戦略的侵攻を許す形でのJRなど国家的重要資産、領土の消失、農業、食料主権の喪失などで、国家主権喪失による属国化、自滅の危険に備えて、国家安全保障を守り切れるか？　ということになります。

確かに北東アジアの危険は決して警戒を怠れませんが、今現在は喫緊の国内危機の防備策を確実に優先実行しないと、我が国は戦わずして、平和のまま自滅してしまいます。

ここでは、これまで述べてきました直面する国家崩壊の恐れのある「4つの大きな危険」と、必要な防備策を簡潔にまとめてみます。

1 重大事故・大事件・テロの危険
―危険国日本、危険度は増していると国民予見―

今の日本は、東電福島原発重大事故発生のように、国や事業者が重大事故の防止ができず、国家安全保障を揺るがすに至っているところに問題があります。国民の側は既に身の回りの生活の安全確保に強い不安と困難を感じ、「今の日本は危険だとの認識」を表明しています。

そのことは、国土交通省が平成17（2005）年12月に実施した「安全について国民の意識調査」で明らかになりました。この調査は全国の満20歳以上の男女2000人を対象に個別面接聴取法で実施されたもので、2005年の時点で国民は「危険国日本」を予見し「危険度は増している」と感じていたことが明らかになりました。

i 国民の7割以上が「今の日本は危険だ」、「どちらかと言えば危険だ」という認識を持ち、

ii そのうち、86・7％が「以前と比べて危険になった」、「危険度が増している」と回答しています。

この調査の6年後の2011年に、国民の安全と国家安全保障を崩壊させるような東日本大震災と東電福島第一原発の爆発事故が起こるのですから、国民は大変な直観力をもっているといえます。

①国や「事業者の安全論」の限界露呈

東日本を壊滅寸前に追い込んだ東電の福島原発過酷事故はなぜ起きたのでしょうか。それは「本来危険な原発の安全確保に当たっては、東電や国が行ってきた『事業者の安全論』では限界があり、国家国民の安全を保障できるものではなかった」と筆者は考えます。

東電も国も原発運転の安全対策は、全ての法令や国の指導を遵守していれば、主電源と非常用の補助電源などは確保されるので、重大事故につながる「全電源の喪失はありえない」と信じきっていました。そのため非常用電源や配電盤を大津波の浸水から守ることが出来ませんでした。

東電福島第一原発で起こった「事業者の安全論」が破綻していく経過を見ていきましょう。

電源喪失は、まず東日本大地震によって外部電源が断たれ、続いて襲ってきた想定を超える大津波で補助電源たる非常用ディーゼル発電機や配電盤が浸水したことで発生した事象です。それに続いて制御不能＝冷却不能＝原子炉メルトダウンが発生したのです。

制御不能の原子炉格納容器は最悪の重大事故で、大爆発を起こして東日本が壊滅する危険がありましたが、単なる偶然で大爆発は回避されたのです。しかし一度に3基もの巨大原子炉が相次いでメルトダウンするという世界最悪の原発事故に至ってしまいました。

このような「法令遵守をもって安全管理責任を果たした」という「事業者の安全論」＝「合格点の安全論」では、福島第一原発のような重大事故は防ぐことができず、原発の安全確保には不十分だということです。

従って、極めて危険度の高い原発に必要な安全論は、国家安全保障そのもので、「巨大地震、大津波、大噴火、航空機衝突、テロなど想定外のあらゆる事象」に対しても、重大事故を防止し国民の命を守り切れるものでなければなりません。それは事業者の責任範囲を超え、安全を最優先にし、重大事故につながるものは最大限予防の手を打つ「究極の安全論」ということになります。

原発などの重大事故防止に必要な「究極の安全論」は「消費者の求める安全論」でもあるのです。すなわち「事業者は法令遵守と責任事故防止はもとより、巨大自然災害やテロなどの想定外事象、外部要因をも考慮に入れ、最大限備えた安全対策を講じる」ことです。そのことによって、「事故が起きてからの、後追いの再発防止の安全対策」から「重大事故未然防止の安全対策」に発想を転換することを意味します。

伝統的な責任事故防止の「事業者の安全論」では限界があって、国民の安全確保や国家安全保障は守り切れないということで、被害者や世間、あるいは専門機関は「事業者の安全論」に納得しなくなってきました。

先ず司法の場において、検察審査会が強制起訴により「経営者の刑事責任の追及」をするようになりました。

また、原子力規制委員会が「最新の技術・知見を取り入れた設備更新や改造を求めるバックフィット制度」を敷き始めました。

すなわち、前者は、近年「事業者の安全論」で経営していて重大事故を起こすと、事故責任者とともに経営者の刑事責任も追及するようになったことで、「事業者の安全論」に不信の目が向けられるようになったのです。

東電の福島原発事故の場合でも、事故原因は大津波の来襲によって全電源が喪失し、事故に至ったもので「不可抗力事故だ」とした東電の経営者に対し、大津波来襲の恐れは社内外である程度議論されていて、「大津波来襲の予見可能性と必要な措置を講じなかった」ことについて検察審査会によって強制起訴され、東京地裁で裁判となりました。しかし、組織経営者の刑事責任追及は因果関係の立証が難しく、２０１９年9月19日、一審判決は無罪となりました。

もう一つの「事業者の安全論」への修正は、原子力規制委員会が安全対策の新規制基準を設けたことです。東電福島第一原発の教訓に基づき、地震や津波、テロなどの基準を強化し、シビア・アクシデント対策として、「最新の技術・知見を取り入れた基準に適合するよう既存の設備を更新・改造するバックフィット制度」（２０１９年）を敷いたのです（図表6 原発安全規制強化策「バックフィット制度」78ページ参照）。

従って、こういう原発重大事故等から国民の生活安全を確保していくためには、何よりも原発の経営者は、その重大事故などの発生を確実に未然に防止する「究極の安全論」を実践すべきだという要請が強まっています。

この限界露呈の「事業者の安全論」から「消費者の究極の安全論」への転換は、原発事業者のみならず、鉄道など交通、国民の健康と安全に直結する食品やその他の製品の生産に至るまで、今や重大事故防止、国家安全保障確保のためには、当然の必要となっています。

② やはり必要な核シェルター

次に核シェルターの必要性について述べていきます。原発大国日本の危険は、大地震、大津波のみならず、テロや敵国からのミサイル攻撃を受けることも考慮すべきです。原発がミサイル攻撃を受けたら、原子炉格納容器が大破壊に至り、巨大な原子爆弾を投下されたのと同じことになります。

もともと、日本やイスラエル、スイスのような人口稠密の小さな国のことを、ワン・ボム・カントリー（One Bomb Country）といいます。1発か2発の原子爆弾を中心部に落とされることによりほぼ勝敗が決してしまい、戦争継続能力が失われる国のことを言います。こういう国の国民にとって大切なのは、平常時であれ戦時であれ、降りかかる災禍から身を守り、自主避難することが肝要で、何をおいても核シェルターが必要なのです。

まして、福島の原発大爆発事故で、首都圏5000万人の避難など直ぐには出来ないことがはっきりした現在、これを教訓に日本も核シェルター装備国へ舵を切るべきは、最早必然のように思います。

ところが、日本では核シェルターの整備は、今もって殆どゼロのままです。

世界各国の核シェルターの人口当たりの普及率は、「日本核シェルター協会」の調べによりますとスイスとイスラエルは100％、以下ノルウェー 98％、アメリカ 82％、ロシア

78%、イギリス67%、シンガポール54%となっています。また韓国のソウルにおける普及率は300%という報告もあります。そうした中で日本だけがほぼゼロ（0・02%）という大変低い普及率となっていることからも、我が国の安全に対する常識は他の先進国のそれとかなりズレていることがわかります。

今更なんで核シェルターなのかと思われるかもしれませんが、日本は北海道から九州まで50機以上の原発を有し、首都圏を例にとっても、福島第一、第二原発が廃炉となっても、依然として、茨城県の東海第二原発と新潟県柏崎市には巨大な柏崎刈羽原発があります。東海第二原発は至近距離にありますし、柏崎刈羽原発が、いかなる原因にせよ、大爆発事故を起こせば、放射能は北西の風に運ばれて関東一円に飛来し、首都圏は放射能で覆われます。ですから首都圏に核シェルターは依然として必要ですし、関西圏など他の地域でも同様です。

それだけではなく日本の周辺国は、朝鮮半島を除いて全て核保有大国です。その朝鮮半島も北朝鮮が事実上の核保有国となった今、日本や韓国は核攻撃に備えた核シェルターを必要とするのは当然のこととなりました。

韓国（ソウル）は、既に世界一の核シェルター装備国にもかかわらず、日本は極端に装備率が低く、両国の危機管理対応は対極にあると言えるでしょう。

具体的な核シェルター装備には、新築と既存住宅で異なりますが、今後10年から20年くらいの期間で、土地付き木造家屋とコンクリート構造の集合住宅と公的な共同シェルターとに分けて、標準仕様のようなものを定め、公的補助を付けて建設・改良工事を実施していったら如何でしょうか。

2 新型コロナ禍、令和大震災、ハイパーインフレの三重苦は回避できるか？

早ければ202X年に、東日本大震災に続いて千年に一度の、首都圏、西日本を相次いで襲う令和大震災に見舞われ、主要な多くの近代ハイテク都市が、人類初の全く想定外の大災害に遭遇し、壊滅的な被害を受ける恐れがあります。しかも、2020年から始まった新型コロナウィルスの蔓延が202X年になっても続いているとか、或いは新たな感染症が発生したところに、令和大震災が襲い来ると、避難所が感染拡大の場になったり、怪我人の救助や病院への収容もままならず、医療崩壊を起こして大混乱するという最悪の事態も起こり得ます。

既に述べましたが、首都直下、南海トラフ両地震を合わせますと、その被害想定は東日本大震災の10倍超で、内閣府によりますと死者は34万人、全壊消失家屋300万棟、全被害額310兆円となっていますが、日本土木学会は、20年間の経済被害も加えて総額として

２３９６兆円という膨大な額を見込んでおります。

新型コロナ感染症蔓延とコロナ禍大不況に加えて、震災大被害の発生、その後の震災大不況の加重恐慌となれば、生産も所得も税収も著しく落ち込んでいるところに、復旧復興費を含んで、５年間で３００兆円超の国債の大増発や借入金の急増は、金利の上昇や国債価格を暴落させる恐れがあり、ハイパーインフレになる危険性は一段と高まります。

これはちょうど、１９１８年のスペイン風邪の大流行、１９２３年の関東大震災発生、１９２７年の昭和金融恐慌、１９３０年の世界大恐慌、１９４１年対米英開戦などで膨大な戦時国債の積み上がり、１９４５年アジア太平洋戦争敗戦、戦後のハイパーインフレ発生と類似した面があります。

何よりも次頁の図表８「最悪の水準で令和大震災を迎える政府債務残高の名目ＧＤＰ比率」を見て頂くと、今や２０２０年で国債など政府債務残高は１１００兆円余、ＧＤＰ比２３７・６％で、太平洋戦争末期を超える過去最悪の水準になっています。世界的にも米国（１０８・０％）、英国（84・８％）、独国（55・７％）の２～５倍の高さです。

ここで財政の健全化や税と社会保障の一体改革などができないまま、間もなく襲ってくる令和大震災の復旧復興費で、震災疲弊の中、更に３００兆円超の国債大増発となれば政府債務残

図表8 100年前と現在の政府債務残高の比較（名目GDP比率）
（財務省資料などから著者作成）

高はＧＤＰ比３００％越えで、さすがに国債大暴落は避けられず、あの忌まわしい戦後のハイパーインフレの再来の恐れ大です。

①震災大被害に、避けたいハイパーインフレ

１９４５年から５年間で消費者物価が、およそ１００倍に上がったとされる敗戦国日本の戦後のハイパーインフレとはどんなものだったのでしょうか？　各種資料と体験から推察していくと次のようになります。

ｉ　積みあがった国債の大暴落からインフレ昂進に火をつけ、急激な物価上昇になりますと、それ以前に決済通貨として通用していた円の通貨価値はほぼ消滅してしまい、そして国際金融市場から脱落し、世界の貿易や投資など

に参加できなくなり、内外の経済活動、各種取引は事実上ストップしてしまいます。

筆者もうろ覚えながらも、戦後のハイパーインフレを経験し、生きるか死ぬかというような体験の記憶があります。敗戦後の物不足の中、インフレによる生活不安は尋常なものではなく、当時はまだ結核が死の病で、食糧難の中、命を落とす者あり、栄養失調で苦しむ者ありで、地獄のような様相でした。

ⅱ 悪性ハイパーインフレは早期に収束させないと、正常な経済活動や、国際取引ができませんので。インフレの収束には緊急の強行措置が必要となります。

太平洋戦争直後、五里霧中のなか預金封鎖や新円切り替えで、国民生活や営々と蓄積した家計預貯金等をほぼ消滅させる恐ろしい金融強行措置がなされましたが、令和震災後のハイパーインフレでも、同様の措置が取られるかもしれません。ハイパーインフレで円の価値が低落する中、預金封鎖によって金融資産を拘束され、財産課税によって、金融資産から不動産、設備資産まで、国民や法人のすべての資産が吸い上げられ、戦時国債の償還に充てられ、国民は丸裸にされたのでした。

これから確実にやってくる令和大震災と、それに伴う経済被害として発生する恐れのあるハイパーインフレによっても、これと同じことが起こるかもしれません。

少なくとも高齢年金生活者などの年金、健康保険、介護保険はハイパーインフレの前に、年金はお孫さんの小遣いにもならないでしょう。健康保険料や介護保険料などの短期保険料金は急騰し、その支払いに窮することとなります。デフレ経済の平成時代には安定して恵まれていた高齢者は一転して、インフレによって地獄に転落します。

日本の現在の年金制度は、公務員の恩給や会社の厚生年金と自由業、農業などの国民年金とで制度や給付額が大きく異なり、平均給付額は国民年金は厚生年金の三分の一以下で、不均衡が大きすぎます。また年金を支える財源はかつての積立保険方式から、賦課方式と現役世代が年金財源を負担する方式に変わっています。かつて現役4人で1人の受給者を支えていたものが、これからは1・5人で1人を支えるという年金成熟度の高まりが限界に達し、年金財源の一部を負担する国家財政の負担が耐えられなくなっていきます。従って、制度的に行き詰まりつつあった年金制度は、このような経済大変動を機に、大変革が起こる可能性があります。すなわち、明治時代からの公務員恩給に始まった伝統的な豊かな年金制度維持の夢をあきらめ、最低所得補償制度と言っていい新しい欧米などに見られる国民年金の大型版のようなベーシックインカム制度などに変わる可能性があるということです。

本論に戻り、令和大震災に引き続いてハイパーインフレなどと言うことになりますと、被災で疲弊した上に、貨幣価値がほぼ無くなり、みんな無一文同然になり、ゼロからの再出発を強いられます。若い人達は再び所得の獲得に頑張れば通常生活の復活は可能かも知れませんが、困るのは、それができない３６００万人に及ぶ高齢者や病人などの生活弱者です。

高齢者や生活要保護者は、頼りの貯蓄や年金、保険などの備えがインフレにより一瞬にして価値を失い、生きるすべをほぼ無くし、措置無く万事窮します。従って、日本のような高齢化社会にあっては、大震災の経済被害はもとより、いかなる理由があろうと、ハイパーインフレだけは絶対に避けなければならないのです。

② 早く単年度基礎的財政収支の改善を！

今や先進国では殆ど起こり得ないとされるハイパーインフレが、令和大震災後の日本で発生する恐れがあります。その解決のカギが国債費を除いた「単年度基礎的財政収支均衡」の早期達成の成否にあるのではないかと述べてきました。

コロナ禍の大不況を経て、世界で日本だけが蒙る令和大震災で甚大な人的被害、経済被害を通じて国債の暴落、金利の上昇、大幅円安、物価の高騰によって、日本だけにハイパーインフレが起こる恐れがあるのですが、国家財政が、いかに国債の大量発行をしていても、基礎的財政収支において健全性が確保されるなど財政の自立信頼性が高ければ、破局的なハイパーインフレは避けられるのではないかという希望を捨てきれません。

全世界に波及して止まないコロナ禍による命の危機と経済大恐慌下で、令和大震災と直後のハイパーインフレという三重苦は日本だけに運命づけられる悲運ですが、我々はこの史上最悪の事態を覚悟しながらも、何としてもそれを避けたいものです。世紀の巨大天災は避難するしかありませんが、ハイパーインフレという巨大人災の加重だけは何としても回避するあらゆる方策を模索すべきなのです。

いろいろな考え方があり得ますが、常に国家財政が信頼度を高めて運営されることが大事で、第I章でそれについては縷々《るる》述べました。最低限「基礎的財政収支」の改善に真剣に取り組み、どんな震災が襲って来ようと、どんな経済変動に襲われようと、財政政策の基本である健全性を堅持し、信頼度を高め、もって、悪性インフレを回避し、国民生活を破滅から救うべきです。

単年度の基礎的財政収支の均衡化を、平時において適正な増税と行財政改革でやり遂げておくということは、このように国の財政基盤を強固にする基本条件であるとともに、少子高齢化時代の国民生活に不可欠の年金など社会福祉費を確保する税と社会保障の一体改革は是非とも必要です。

それなのに、2001年の小泉内閣の誕生以来、2011年に基礎的財政収支の均衡を図るとした達成目標年度の先送りを続け、第二次安倍内閣では、とうとう達成年度を2027年に延ばしてしまいました。

財務相の諮問機関の財政制度等審議会（会長 榊原定征東レ特別顧問）も、「令和時代の財政の在り方に関する建議」（2019年6月19日）で、「財政健全化どころか一段と財政を悪化させてしまった平成時代の過ちを繰り返すことは許されず、財政健全化の成果を着実に上げていくことがまずは求められる」と財政健全化達成の必要性を厳しく指摘しています。

この期に及び、日本政府は基礎的財政収支黒字化の安易な先送りの繰り返しに、猛省を促すとともに、これから世界で日本だけに降りかかるコロナ禍不況―令和大震災―ハイパーインフレという最悪の事態発生の恐れにあたり、最近登場の税金よりも新規国債発行を重視する「MMT理論（現代貨幣理論）の罠」などに嵌ることなく、行財政改革による財政の健全化に努め、ハイパーインフレによる国民生活の大破綻を回避すべきだと思います。

3 JR、領土、農業の「グローバル化の罠」への有効策を

繰り返しになりますが国家存立繁栄の条件は「国民」、「領土」、「主権」の3要素の維持発展です。

令和大震災が首都圏や西日本で連動して起こると集中化の著しい近代都市群で数千万人に及ぶ壊滅的被災とその後の経済被害としてのハイパーインフレで多くの高齢者を含む生活基盤が失われ、国民生活が崩壊、生活の全てが終わってしまいます。昭和の敗戦以来の、国民生活崩壊の危機です。

令和大震災の被災で「国民の安全や生活」が深刻な危機に瀕し、更にＪＲ、国土の「国家的重要資産、土地」が外資、外国人に買われ、「食料主権」も外国企業の支配下にはいり、「国家主権」まで危うくなると、名実ともに国家安全保障が損なわれ、「日本国属国化」が現実のものとなります。

①ＪＲ、土地への外資攻勢に歯止めを

前節で、令和大震災が首都圏や西日本で連動して起こると集中化の著しい近代都市群で数千万人に及ぶ壊滅的被災とその後の経済被害としてのハイパーインフレで多くの高齢者を含む国民の生活基盤が失われ、大多数の国民生活が崩壊、生活の全てが終わる恐れがあると述べました。昭和の敗戦以来の、国民生活崩壊の危機です。

令和大震災の被災で「国民の安全や生活」が深刻な危機に瀕し、更にＪＲ、国土の「国家的

重要資産、土地」が外資、外国人に買われ、「食料主権」も外国企業の支配下にはいり、「国家主権」まで危うくなると、名実ともに国家安全保障が損なわれ、「日本国属国化」が現実のものとなります。

このような国家存立条件にかかわる「領土消失、外資による土地取引規制問題」につきましては、「第Ⅳ章グローバル化の罠⑵ 甘い土地制度で領土が危ない 4 せめて諸外国並みの土地管理制度の導入を」で既に具体的な提言をさせて頂きました。

従って、本章表題には「領土、土地」問題を掲げますが、ここでの記述は重複を避け省略させていただき、本稿執筆中に、JRの外国鉄道化と農業主権喪失の恐れについて、考察します。

ただ本稿執筆中に、急遽、政府に「外資による土地取引を調査し規制する法案」の国会提出の動きがありましたので、これについてはここで触れておきます。

それは2020年11月に、新法制定のために招集された「国土の利用実態把握等に関する有識者会議」（座長 森田朗 津田塾大教授）のスピード討議による提言（2020年12月24日）を受け、2021年3月を目途に通常国会に「重要施設周辺および国境離島等における土地等の利用状況の調査および利用の規制等に関する法律」が上程され審議されることになりました。

この法案は、現段階で概要しか分かりませんが、外資規制される土地を「注視区域」と称し、防衛関係施設や重要インフラ施設の周辺1㎞以内、領海の基線を有する国境離島等も個別に告示。重要インフラ施設は発電所、貯水、通信、鉄道、放送局、空港など。注視区域の調査での報告違反者、不適切利用への中止命令違反者には罰則を適用する、という様なものです。

本法案は、確かに安全保障上必要最小限の措置を講じたとの評価はできますが、注視区域以外の土地や森林、農地、雑種地などへの侵食も野放しにできません。最小限の法律だけ作ってヤリマシタでは無く、外国人等の戦略的土地買い全体に対して監視対象を広げ、調査を可能とする広範な制度が必要と思われます。

さて、ＪＲ東日本、ＪＲ東海、ＪＲ西日本、あるいは既に外資の強い影響を受け出したＪＲ九州などが、外国資本の支配下に落ち、事実上の外国企業となったら、日本の国家安全保障はどういうことになるか、もう一度整理してみます。

ＪＲ本州３社やＪＲ九州は国鉄改革において、完全民営化し資本市場に上場するにあたり、個別法上の外資規制は一切かけられておらず、現在既に外資による株式の取得がかなり進んでおります。

もし上場ＪＲが資本市場において外資にとられ、ＪＲが外国鉄道となって国家安全保障上困る理由をここで確認しますと以下のとおりです。

ｉ　現在ＪＲ各社が所有している鉄道事業用地、構造物、機器等の重要資産は大半、国鉄改革時に終戦直後の帳簿価格で国鉄から承継されているものの、実際の時価は評価不能の価額で、かつ代替不能の「国家からの授かり物」であって、外資に所有されることなど全く想定していない国家的最重要資産です。

東京など全国主要都市駅、大都市近郊電車線、東海道山陽新幹線など、全国的な高速鉄道ネットワークと技術・作業ノウハウ、正確な列車ダイヤなどは民営になっても依然として国家的最重要経営資源であることは変わりません。それらが外国所有となり資本市場で売買され、外資の支配下になることは国家安全保障上著しい脅威となります。

従ってＪＲ東日本やＪＲ東海、ＪＲ西日本、ＪＲ九州などが、それぞれ外資の経営になるということは、日本の国土交通の心臓部分や大動脈部分が外国の所有支配になるということです。それは、ほぼ150年の歴史をかけて作り上げた莫大な鉄道経営資源に対する国家主権の放棄を意味します。それは国家属国化の始まりで、やがて国家崩壊につながる恐れがあります。

ii ＪＲは上下一体の独占経営です。もし外資に買収され外国所有鉄道となると、その土地と構造物は取り戻すことも代替も効かなくなり、全国一体のネットワーク機能が失われ、長期的な国家プロジェクト遂行が成立しなくなる恐れが出ます。例えばＪＲ東海が某国の外資に買われ、その支配下に入ると、リニア新幹線は成功不成功にかかわらず儲からないと判断すれば、資本の論理から即中止になり、リニア新幹線は計画半《なか》ばで終わるかもしれません。しかも国鉄、

ＪＲ東海、東芝などが開発導入したリニア新幹線のコアである磁気浮上技術は漏出し、半世紀以上国家プロジェクトとして開発を進めてきたリニア新幹線は、中身の技術等を外資にとられた挙句に消滅する恐れがあります。

iii 民営化後のＪＲは既に外資に３割前後株式を取得されています。このまま外資のＪＲ株取得を容認し続けますと、国が、例えば「３割を上限とする」外資規制措置を講ずるきっかけを失い、制度的にＪＲの外国鉄道化を防止出来なくなります。

国鉄改革後のＪＲ各社は、「鉄道通信の基幹インフラ」である鉄道通信部門・日本テレコム（株）を２０００年に英ボーダフォンに売却し、２００３年に米リップルウッドを経て、２００４年に現ソフトバンクにわたっています。今やＪＲの基本インフラである通信部門は、実質的に外部資本に握られているのです。ＪＲは鉄道の神経系統である通信部門を手放してしまったという前例があるのです。

また、ＪＲ九州の外国法人等の持ち株比率が、２０１９年には４割を超えました。大株主の米投資ファンド（５・１％の株式所有）が登場し、自社株買いや取締役３名の選任などを要求しました。株価高騰とともに会社支配を狙ったものと思われます。

外資はまさに見えざる侵略として、これからＪＲ本州３社などの株式を積極的に取得し、ＪＲを支配下におさめることにより国家の交通最重要インフラを奪取し、さらに領土や農業支配なども併せ日本国の主権を抑え、日本支配、属国化を狙って来る危険性を考慮すべきです。

そうなると、国鉄の分割民営化は、国家国民のために実施したように見えても、外国資本に絶対に渡してはならないJRという国家的最重要資産、技術を、どうぞと言わんばかりに貢ぐことになり、一体何のため、誰のために国鉄改革をやったのか分からなくなります。

世界中の先進国の中でいくら民営化しようと、国家の基幹鉄道について外国資本に獲られるようなことはせず、国家安全保障上、外資から守っています。その備えを欠いているのは、日本だけです。

今からでも遅くありません。日本の上場JR各社について、このまま放置することなく、鉄道事業法改正など法的措置を講じ、外資規制を早急に実施すべきだと思います。

米国の「対米外国投資委員会」（CIFIUS）の対内投資規制強化の動きや、対中国を念頭に置いた「外国投資リスク審査近代化法」（FIRRMA）で「米国の安全保障、重要技術、重要インフラを損ねることがないかどうか」を範囲を広げて監視していく動きは、日本がまさに学ぶべき不可欠の基本政策であると思います。

② 日米食料戦争は「1億人総農業」で耐え抜く
―2001年オーベント―騒動の意味と価値―

今や我々の食べ物の品質はどんどん劣化が進み、「農業、畜産の工業化による薬害」、「究極の感染症BSE（牛海綿状脳症）の発症」や「加工食品の化学添加物の多使用」さらには「遺伝子組み換え食品の安全性の疑念、種子資源枯渇の危機」など、農業、食品、食生活は危険な道を進んでいます。

そこにグローバル経済の下で多国籍企業が進める自由貿易体制の下で、農業や食生活も否応なく戦略物資となった食料をめぐる日米食料戦争の荒波に飲み込まれ、一気に農業、食料の重大危機に陥る恐れがあります。

日本は米についてはは自給できているものの、トウモロコシの9割、大豆の8割、小麦の6割をアメリカからの輸入に依存しています。

小麦はまだですが、日本国内で消費されるトウモロコシや大豆の大半は既に遺伝子組み換え作物となっています。そして、いよいよ米《こめ》までが米国バイオメジャーの特許権付きの遺伝子組み換え種（GM種）にとってかわられ、日本農家は自家採種ができず、毎年GM種と肥料をセットで買い続ける農業にならんとしています。種を米国バイオメジャーに支配され、我が国の農業主権が失われる構図です。

国が、「GDPの98・5％を占める工業製品中心の多国間自由貿易」を国是として進めようとする限り、バイオメジャーは農業も国際自由貿易の原則で、関税のみならず、非関税障壁の撤廃を迫ってきますので、自由競争場裏で、特に種子の支配などを通じて攻め込む世界の多国籍企業の「食の戦争を受けて立つ」ことを覚悟しなければなりません。

もはや、日本農業がここまで追い込まれているとすれば、いつまでも「工業品中心の貿易立国」の中央政府に頼ることなく、各農家は自立し立ち上がり、地方政府、外食、食品業界、消費者と連携して信頼と協調で当面の難題を解決し、食料戦争に生き残らなければなりません。

TPPが合意され、多国籍企業の工業化農業が侵攻してくるとき、ぜひ生産農家に気づいていただきたいのは、これからの日本農業は、「品質重視」で顧客のための御用達《ごようたし》の「本物の農業」に立ち返るべきだということです。

この「品質重視の本物の農業」への難しさについては、筆者がかつて旧日本食堂（株）社長として、どの社も到達できなかった「高品質で、温かい理想の弁当作り」に取り組みました時にイヤと言う程思い知らされました。それは全農との間で起きた「オーベントー騒動」の話です。

私は、弁当に付きものの食中毒の心配を無くし、高品質で、嗜好性、コストなどに優れ、温かく食べられる「究極の弁当作り」は、製造して冷凍保存するのがよく、消費期限も1年は可能で、日本のみならず世界中で、広く食べて頂けると思いました。

１９９８年から日本食堂（ＮＲＥ・日本レストランエンタープライズ、現ＪＲ東日本フーズ）でスタートしたオーガニック冷凍弁当「オーベントー（Ｏ－ｂｅｎｔｏ－）プロジェクト」がそれでした（写真４有機食材使用の「究極の弁当・オーベントー」）。

当時日本には、まだ有機食品の認証制度がなかったため、アメリカ・カリフォルニア認証のオーガニック米を使ってアメリカで作りました。

その頃すでに、米国産農産物、特にコメや牛肉の対日輸出圧力は高まっていました。やがてアメリカは、日本の主食である米や大豆、トウモロコシについて、余剰農産物や遺伝子組み換え種を売り込みはじめました。そのため日本が従来の伝統農業を継続できなくなることも想像でき、我々業界も建設的対応を迫られていました。

従って、当時、アメリカ大使館の米国農産物協会所長のテレンス・バーバー氏（T.Barber）に、「日本もコメは余った状態で、アメリカの慣行栽培米や遺伝子組み換えの余剰米などではなく、欲しいのは、現在日本にない高品質オーガニック米です」と申し上げ、カリフォルニアの高品質米生産農家ランドバーグ社（Lundberg Family Firms Inc）などを紹介してもらいました。

アメリカが、余剰米や遺伝子組み換え米でなく、量的に限定される高品質のオーガニック

写真４ 有機食材使用の「究極の弁当・オーベントー」

米を安く日本へ売り込むというのであれば、それは日本も受けて立つべきだと思ったからでした。

こうしてオーベントープロジェクトは、米国産のオーガニックライス、ナチュラルビーフなど高品質食材を使用し加工調理した高品質冷凍弁当を製造し、アメリカで販売するとともに、日本にも「加工冷凍食品」として輸入し、日米で並行販売することとしました。

販売の具体的計画は、２００１年早々の日米同時発売を予定し、第一段階としてアメリカで１日１万食、日本で１万食を販売することでした。米国大使館では同年10月の米国ブッシュ大統領訪日の際は、東京駅で同大統領が、「O－bento」を買い求め、宣伝に一役買っていただく計画も密かに練られていました。しかし9・11同時多発テロ発生で大統領の訪日が流れ、この計画は実現しませんでした。

オーガニック米使用の高品質冷凍弁当の販売は、アメリカでは当時冷凍品物流システムに不備があり、思うように販売実績を伸ばすことが出来ませんでした。日本では実は大変好評で、根強いファンができました。しかし、次に述べる農協の猛反対と、2003年にアメリカでBSE（牛海綿状脳症）が発生、これには手の打ちようがなく日米とも販売終了となりました。しかし「高品質冷凍弁当の、想定を超える強い需要と発展可能性」は確実に実証され、将来弁当業界の主力商品になることを確信させるものがありました。

ところが、2001年6月末、発売の直前になって、思いがけずも大騒動が持ち上がりました。全農など農業団体から輸入販売に対する猛烈な反対の抗議が始まり、連日新聞テレビで報道されました。自民党農水族議員も巻き込んでの農協側の反対の趣旨は、「日本はコメがあまり、減反や青田刈りまでやっているのに、アメリカから弁当（年間オーガニック米300トン相当）を輸入するのはやめてほしい」というものでした。この全農の「オーガニック米使用のオーベントー輸入販売反対」の猛抗議は、「アメリカ産オーガニック米使用の高品質弁当を輸入されては、それが量的には少しでも、有機栽培など農産品の高品質化に大きく後れを取った農協としては、最も困ることだった」ということのようでした。

近年日本の消費者が米を食べなくなり、米が余り、減反や青田刈りをやらざるを得なくなった責任は、高米価政策などにより消費者の「米離れ」を起こした政府や全農自身にあるのです。我々は米国製ではあっても、日本に無い有機米を使った消費者の求めている高品質弁当を提供して、米離れの消費者の米食《こめしょく》への回帰を期し、日本農家の高品質農産物の生産向上と再生発展に貢献しようとしたのです。

「オーベントー輸入反対騒動」ではっきりしましたのは、当時の日本農業の最大の弱点は、農産品に対する「本物、自然、健康の品質重視の理念」が乏しく、消費者や食産業も「見栄え、味、安い」で「品質」が抜けていることが共通の問題になっておりました。

ではなぜ日本の農家が高品質保持の面で弱点があるかというと、戦後の農業は殆ど顧客を持たない食料管理制度の下、生産米は国や農協に自動的に高値で売却するシステムがずっと続き、顧客との御用達の関係が全くできなかったからです。この致命的な問題を政府も、農協も、農家も、消費者もほとんど気付いておりません。

ところが食べ物の調達は生命維持そのもので、どんなに見栄えが良く、味もよく、安くても、農薬の過使用など安全性の問題があったり、栄養価など品質面で欠陥があったり、あるいは加工食品で化学添加物過多があったりしたら大問題です。従って安全で高品質の食べ物を確実に調達する一番いい方法は、生産者である農家と消費者、食産業者が信頼で直結し御用達の関係を作り上げることです。

いま世界で食料の調達を巡って、世界食料戦争がはじまり、日米間においてもアメリカのバイオメジャーが日本市場に進出し、工業化農業を売り込み、「種」を支配するために障害となる日本の種子法を廃止に追いやったり、種苗法の改正など虎視眈々《こしたんたん》とねらっております。

もし、アメリカのバイオメジャーの遺伝子組み換え特許種子などに完全支配されるようなことになりますと、日本農業は、在来の多様な種子資源を失い、2000年の歴史を有する農業主権を喪失してしまいます。これが更に世界に広がると、「食用植物種の減少、枯渇」の危機が叫ばれている今日、やがて「自然種の消失」による人類絶滅への道を辿る恐れがあるのです。

しかし我々は、それらにかかわらず、農家や地域農協、地方政府と消費者、食産業、物流業者、スーパーマーケットなどが、高品質農産物調達のために生産者と消費者、食産業が信頼で直結して農業における御用達の関係を強化していけばいいのです。これが一億人規模で出来るようになれば、世界的にも模範的な食料の生産調達システムとして、どんな食料戦争の嵐が吹こうが日本農業は大丈夫だと思います。

もともと「一億人総農業システム」は有機農業実践家一楽照雄氏の提唱によるもので、それは国民がこぞって顧客、食産業の立場に立ち、農業生産に注文を出してそれに応えてもらう

「御用達農業」なのです。何よりも品質重視の農産物は「本物、自然、健康」の3条件を満たし、余計な農薬や特許権付き遺伝子組み換え種子などという考え方が入り込む余地はありません。

一億人総農業では、都会の顧客は、夏休みなどを利用して提携農家を訪問して農作業のお手伝いをしたり、子供の体験学習に活用したりすることができます。それは、万一の核戦争や原発事故の際の疎開先にもなり得ることを念頭に置いてもいいかと思います。

新しい日本農業の大復活が実現すれば、日本もようやく欧米先進国並みに21世紀の「農・工商両全国家」になれるわけです。

4 北東アジアにおける日本の危機 —重要な朝鮮半島の自立と安定—

増大する日本の危険、危機の4番目は北東アジア危機です。

外交素人の筆者が「北東アジア危機は、日本の危険の4番目」と申し上げますのは、北東アジア危機以前に、21世紀直前から現在まで、日本国内の国民の安全確保、国家の安全保障が、もはや危機的な状況にあり、このまま有効な防備策が打てないと平和のまま国家自滅の危機が先行してしまうからです。

ただ、北東アジア危機も中東危機に負けず劣らずで、近年の中国の著しい経済的軍事的台頭と、香港の民主化の攻防、米国の台湾承認問題まで出てきて、米中の覇権争いと本気の対決は、激化してきました。北朝鮮の核ミサイル開発と米朝直接交渉の見通しも遠のき、北東アジア危機は、これからが本番という感を強くします。

明治以降の近代日本は、北西に大国ロシア、南西に清朝中国、太平洋の東にこれまた大国のアメリカと巨大勢力に囲まれて、1867年に明治維新による近代化を達成し、1894年の日清戦争から、ほぼ10年ごとに戦争を行って、1905年日露戦争に勝利し朝鮮半島を支配下におさめ、満州に進出し、一時は遼東半島、台湾、南樺太まで領有します。

しかし韓国を併合し満州経営を進めた日本は、すべきでなかった1937年日中戦争をおこし、遂に1941年ハワイ真珠湾を攻撃し米英とも戦端を開き、勝ち目のなかったアジア太平洋戦争に突入しましたが、1945年無条件降伏し、軍人、民間人併せて300万人の犠牲者を出し、拡大支配した領土権益は全て失いました。

併合していた朝鮮半島は日本敗戦の直前、北からソ連軍が南下進駐し、1948年、38度線で半島をアメリカ軍と分割支配しましたが、1950年北朝鮮が韓国に砲撃を仕掛け、朝鮮戦争が勃発しました。

この朝鮮戦争は一進一退を繰り返したのち、韓国と北朝鮮は38度線で停戦し、1953年休戦協定を結び現在に至っています。この朝鮮戦争には、中国の義勇軍が北朝鮮軍に参戦しており、激戦になり、朝鮮戦争の死者は総数で５００万人に及んだといわれています。

こうして「北東アジアの戦争と平和」を考えるときに、東西にアメリカとロシア、中国が日本海、東シナ海を挟んで対峙し、真ん中に位置する日本、南北朝鮮、台湾あるいは中国の動向により決定づけられます。

戦前の日本は明治維新以来、一貫して朝鮮半島の自立と安定が、朝鮮はもとより日本にとっても重要事項という認識で対処してきました。

この日本と朝鮮半島めぐる北東アジアの経過につきまして、東大名誉教授原朗氏は『日清・日露戦争を如何見るか』（ＮＨＫ出版）で、「日清・日露戦争の本質はどこにあるのか。ともに、朝鮮半島が戦場となり、戦争の目的も朝鮮支配だったこの二つの戦争は「第一次・第二次朝鮮戦争とも呼ぶべきものではなかったか—。」と述べています。

１８９４年～９５年　日清戦争（第１次朝鮮戦争）
１９０４年～０５年　日露戦争（第２次朝鮮戦争）
１９１０年　日韓併合→日本東アジアの強国へ
１９１４年～１８年　第１次世界大戦（対独戦争）

１９３１年　満州事変→中国東北進出
１９３７年　盧溝橋事件から日中戦争→すべきでなかった中国攻撃
１９４１年　アジア太平洋戦争→勝ち目のなかった対米英開戦へ
１９４５年　日本アジア太平洋戦争敗戦→日本が東アジアの主役であった時代終わる。
１９４５年～４８年　日本敗戦で北から朝鮮半島にソ連侵攻、南のアメリカ軍38度線で分割。北朝鮮、韓国の国家成立宣言
１９５０年～５３年朝鮮戦争　（第３次朝鮮戦争）→韓国、北朝鮮休戦協定

戦後日本は、民主平和憲法のもとで、１９５１年のサンフランシスコ講和条約により独立はしたのですが、日米安保条約の下で駐留米軍と自衛隊による国家防衛で、自らは平和外交と経済活動に専心することとなりましたので、経済発展は遂げたものの、当然のことながら北東アジア諸国に対する平和と安定のための日本独自の主導的役割や影響力は弱くなりました。

１９５１年　サンフランシスコ平和条約（日米安保条約締結）
１９５３年　韓国北朝鮮休戦協定
１９５６年　日ソ共同宣言（平和条約は、領土問題未解決で未だに無し）

１９６０年　日米安保条約改定（日米共同防衛を明確化）
１９６５年　日韓基本条約で国交正常化、日韓請求権協定締結
１９７５年　日中平和友好条約締結
２００２年　小泉総理電撃訪朝（日朝平城宣言、拉致家族６人帰国）、それ以降無し
２０１４年　日本憲法９条解釈変更、集団的自衛権容認
２０１８年　米中貿易戦争開始、中国の世界覇権阻止へ
２０１８年　第３～５回文在寅・金正恩・南北首脳会談
２０１８年　元徴用工問題韓国大法院判決で敗訴→戦後最悪の日韓関係
２０１８年～１９年３回の米朝首脳会談。北朝鮮・核ミサイル開発問題（シンガポール、ベトナム、板門店）
２０２０年　香港国家安全維持法施行
２０２０年　ポンペイオ国務長官は中国習近平国家主席を名指しして「全体主義のイデオロギーの信奉者だ」「中国共産党から世界の自由を守る」と発言

戦後75年を経て、北東アジアにおける危機と言えば、一つは、共産党一党独裁政権の中国の経済的軍事的台頭と拡張主義に対して、米中貿易戦争、覇権争奪戦と本格的な対立の影響を強

く受けつつあることと、二つ目は朝鮮半島の和平交渉と北朝鮮の非核化問題ということになります。

中国の拡張主義に対する米中対立と覇権争いは、これまでの米ソ東西冷戦の終結の後の「新しい米・中本格対立」とみてよく、２０２０年7月23日のポンペイオ国務長官の「中国共産党から世界の自由を守る」発言は、米対中国の決定的対立を明確にし、中国への事実上の宣戦布告とみなされています。

その結果、米中本格対決下の要注意地帯として南シナ海から香港、台湾、東シナ海、日本海、朝鮮半島、なかんずく北朝鮮の非核化など朝鮮半島をめぐる厄介な諸問題も含め、今や北東アジア全体の緊張は高まってきました。

従って日本は、引き続き日米同盟を堅持して、米中対決の中で日本にとって想定される最悪の事態も含め、決定的な幾つかの危機を念頭において、対中、北東アジア外交を展開していく必要があります。

今のところ、「米中経済戦争」はこれまで、トランプ大統領の「ディール（取引）作戦」で行われてきました。米国の狙いは、あくまで中国共産党の専制体制にありますので、中国に勝手な真似をさせないよう徹底的に締め上げコントロールすることにあります。

この米国の対中基本姿勢は、２０２1年に大統領が替わっても、厳しい対中姿勢の継続は、変わることはないと言われています。

そこで日本として、米中間で熾烈化する経済戦争とグローバリズムの侵攻の中で気を付けるべきは、中国共産党国家資本に限らず、アメリカの多国籍企業、国際資本などからも「日本の国土、国民生活の安全、国家主権を確実に守る」ことだと思います。

大国の外資、外国人による戦略的な日本の土地買い占め、企業やJRを買いとってしまうことによる領土、国家的重要資産、重要技術の流失の恐れ、農業、食料主権喪失は、とりもなおさず我が国の属国化、国家安全保障の崩壊に繋がる恐れあるのです。

もともと自由貿易体制の中で、他国から国家主権を守る防備体制が不足している日本は、このまま米中の経済戦争と覇権争いが激化するとき、日本が領土や国家的重要資産あるいは食料主権を喪失して「大国の属国化」する恐れは多分にあり得ることで、我々は最悪の事態を想定し、最大限の防備を尽くし、当たり前のことながら国民の安全、領土、国家主権を維持し、あくまで自力で国家安全保障を守り抜かなければなりません。

なお、日本と朝鮮半島は、古代からずっと深いつながりがあり、特に明治維新以降は「朝鮮半島の自立と安定と友好」は、日本にとって重要であったわけで、そのことは、現在の米中露の対立構造の中でも不変で、北東アジア情勢安定化のために、日本が果たすべき役割は依然として存在すると思います。

第Ⅷ章　国家安全保障を守り抜くトップリーダーの育成

1 東電とJR東日本に見る「トップダウンのリーダーシップの重要性」

２０１１年の東日本大震災により、東電は残念ながら、福島原発の破局的重大事故を未然に防ぐことができず、日本の国家安全保障を重大な危機に陥《おとしい》れました。他方、東日本大震災で東北新幹線など１２００か所以上甚大な被害を受けながら、旅客犠牲者ゼロの安全確保を達成した会社があります。ＪＲ東日本です。

両社とも首都圏を含む東日本で電力事業、鉄道旅客輸送という基本ライフラインを支える重要公益事業で、国家国民の公益、安全に関わる巨大な設備、組織を擁し、豊富な人材を抱え、事業再編成や事業改革を成し遂げ、国家の原子力エネルギー政策や公共の交通政策推進の主役であります。それが、共に東日本大震災で、まともに被災しながら、片やあわや東日本壊滅に及びかねない重大原発事故起こし、他方は高速新幹線はじめ各所で夥《おびただ》しい被害を受けながら、一人の旅客犠牲者も出しませんでした。

この「地獄と天国」のような「違いすぎる差」の正体は何なのでしょうか。

それは、「トップダウンのリーダーシップが機能したか否かにある」といっていいと思います。経営トップは社長と常務、部長、課長などですが、本社組織は皆が社長を補佐していますから、社長と本社全体を経営トップとみてもいいでしょう。なぜ経営トップの「トップダウンのリーダーシップ」が重要かといいますと、未知のリスクや、想定外のリスクに対処し、重大事故等を防止するには、どうしても「トップダウン思考のリスクマネジメント」が必要だからです。ボトムアップのマニュアルによるリスクマネジメントでは、想定外リスク等は中々防げません。

以下では、両社をめぐる大災害や大事故の主な経過を辿ってみます。

東電関係では1979年の米国スリーマイル島原発事故から、ＪＲ関係では1987年のＪＲ民営化以降、2011年東日本大震災までの主な事故、内外の大地震などの経過を例示します（Ｍはマグニチュードで地震そのものの規模、震度は揺れの大きさです）。

- 1979年 米国スリーマイル島原子力発電所事故発生（国際原子力事象評価レベル5）
- 1986年 ソ連チェルノブイリ原子力発電所事故発生（国際原子力事象評価レベル7）
- 1988年 ＪＲ東日本東中野列車追突事故（民営化後初の乗客死亡事故）
- 1991年 ＪＲ西日本列車乗り入れ信楽高原鉄道事故（列車正面衝突事故）
- 1995年 阪神淡路大震災（Ｍ7・3）ＪＲ西日本・山陽新幹線高架橋崩落など被災
- 2004年 新潟県中越地震（Ｍ6・8）ＪＲ東日本・上越新幹線営業列車初の脱線事故
  東電柏崎刈羽原発は震源から50㎞で無事

・２００４年 インドネシアスマトラ島巨大地震（Ｍ９・０）30ｍを超える巨大津波発生
・２００５年 ＪＲ西日本福知山線列車脱線転覆事故（速度超過脱線転覆乗客死者１０６人）
・２００７年 新潟県中越沖地震（Ｍ６・８）東電柏崎刈羽発電所直下地震被災、勝俣恒久社長
「想定外の地震」と発言、免震重要棟設置検討
・２０１１年 東日本大地震（Ｍ９・１）、大津波発生
●東電福島原発、津波で全電源喪失で史上最大の３原子炉溶融事故発生、
あわや東日本壊滅↓国家安全保障崩壊の危機
○ＪＲ東日本、東北新幹線電化柱倒壊、津波による線路流出など多数あるも、
旅客死傷者奇跡的になし↓乗客の安全は確保

(1)「安全神話」崩壊に気付かなかった東電のトップリーダー

①トップリーダーに必要な「最悪の事態想定力」

２００４年の新潟県中越地震（Ｍ６・８）は、新潟県中越山間部を襲った強い地震でした。沿岸部の東京電力柏崎刈羽原発は、震源地から50㎞ほど離れていたこともあり、運転中の原子

炉は停止することもなく無難に終始し、遠隔地の直下型地震から離れた原発は、地震に強かったといえます。

「巨大地震発生と巨大原発の安全問題」は、それから3年後の2007年の柏崎地方を襲った新潟県中越沖地震（M6・8）の発生で、はっきりしました。この時は震源地が柏崎原発の海側10kmでほぼ、原発直下に近い巨大地震でした。柏崎刈羽原発の当時稼働中の3、4、7号機と起動中の2号機は、いずれも緊急停止しましたが、発電所の地盤は震度7の揺れを示したことから、原子炉周辺の施設に危険な状況が現れ、関係者は恐怖に慄《おのの》きました。

震源地が原発の間近だったため、津波こそ1mほどのものしか観測されておりませんが、

・外部電源取入れの3号機付近の変圧器から黒煙を上げる火災発生
・6号機建屋の原子炉直上の天井クレーンが破損
・6号機使用済み燃料プール水の漏洩
・固体廃棄物貯蔵庫内ドラム缶数百本の転倒
・3号機排気ダクトのずれ
・1号機軽油タンクが地盤沈下するなど、原子炉、格納容器周辺にかつて経験したことのない甚大な被害が出ました。

これらの柏崎原発の予想を超える被害と恐怖は、「我が国原発史上初めての大地震による営

業運転中の巨大原発の実被害の発生」でした。そして大事なことは、「原発は大地震には、決して安全とは言い切れない『原発安全神話の崩壊』を警告する」ものでした。

「原発安全神話崩壊」の象徴は、地震直後、外部電源を取り入れる変圧器周辺から発生した火災で、黒煙がモウモウと上がったことでした。発電所への消防車の出動が遅れたために火の勢いが増し、緊迫した場面がＮＨＫテレビで全国に中継されました。これを見た国民は柏崎刈羽原発の異様で急迫した情景に息をのみ、何時までも何の手も打たれない恐怖とともに画面に釘付けとなったのでした（写真５　２００７年新潟県中越沖地震で出火した柏崎刈羽原発）。

この時東電の勝俣恒久社長は、中越沖地震は「想定外の地震」と発言されたことが伝えられました。地震火災による外部電源の喪失をはじめ、不規則地盤沈下、配管の断裂、使用済み燃料プール水漏洩などで、「想定外」などと言っていられない「原発の重大な危険の現実」が出ていたのです。実際は柏崎原発は中越沖地震によって、まさに巨大原発の安全神話崩壊を告げる「未経験の危険」を数多く体験したのでした。ただ原子炉・格納容器は持ちこたえたため、原発大破壊を免れ、安全神話は形の上で守られたように見えました。

東電は２０１０年３月に「耐震安全評価結果報告書」を経産省原子力保安院に提出し、再稼働のお墨付きを頂くことで同年８月４日から運転を再開しました。しかし、依然として安全神話を前提とした旧来の法令遵守の「事業者の安全論」の枠内での再稼働でした。さすがに地元

写真５ 2007年新潟県中越沖地震で出火した柏崎刈羽原発
（写真提供：共同通信社）

の県知事や柏崎市長などは原発再稼働に当たって、地域住民の安全確保の保障を運転再開の条件とし、安全を最優先の価値とする消費者住民の安全確保を主張しました。

柏崎刈羽原発が世界初の巨大地震の直撃を受けた原発であり、その被災状況を直視すれば東電の経営者としては原発の安全にとって「想定外事象は現に起きた」し、地震国日本では、今後「もっと激しい想定外事象がオールジャパンで起こるかもしれない」と考えてみるべきでした。

従来の安全神話を前提とした法令遵守の「事業者の安全論」では、原発の重大事故は到底防げないと認識すべきで、「もっと激しい想定外事象」にも耐え、国家安全保障を守り得る「究極の安全対策」を、現状総点検の上で検討確立するというのが、経営幹部に欲しいリーダーシップだったのではないでしょうか。

ただし東電の救いとしては、被災から復旧、再稼働まで3年もの時間をかけて地元説得にあたったことと、大地震発生後も現場にとどまって指揮命令ができる「免震重要棟の設置」を教訓として残したことが挙げられます。この「免震重要棟」が福島第一原発過酷事故発生時の事故対応で大きな役割を果たすこととなりました。

② 東日本壊滅を救った東電現場のリーダーシップ

同じ東電にあっても、福島第一原発事故において「現場のリーダーシップ」は底力を発揮し、大役を果たすこととなります。

２００７年の中越沖地震時に、後に福島第一原発所長になる吉田昌郎氏は、東電本社原子力設備管理部長に在職していました。

門田隆将氏は『吉田調書を読み解く』（ＰＨＰ研究所）で吉田氏が中越沖地震で受けた衝撃について、福島第一原発事故吉田調書の中の彼の証言を次のように紹介しています。

「中越沖地震、これが私はものすごいショックだったんです。津波はなかったんですけど、敷地内の一番大きいところで震度6・5ぐらいあった。あの地震が私の全部を狂わしたというかですね、なんだこのガル数（地震の振動加速度の単位）は？　という地震が来たんですね」と述べています。

吉田氏のような現場実践感覚のあるリーダーだからこそ、「想定を上回るような地震が来る可能性はオールジャパンどこでも、もう一度見直さないといけない」と述べて、地震動から、津波の来襲まで対策の見直しをはかろうとされたのです。しかし、前述のように、会社組織としては、トップが「強固な良心のリーダーシップ」を働かせて動かない限り、そう簡単に転換できるものではありませんでした。

その4年後の2011年東日本大震災が発生、依然としてゆるぎない安全神話で絶対安全とされていた福島第一原発が、またしても東電幹部曰く、「想定外の大津波」で脆《もろ》くも大破壊をきたし、あわや東日本壊滅という国家安全保障を危殆に陥れる重大事故を起こすこととなりました。

吉田昌郎氏は2011年の東日本大震災時には、東電本社の経営陣の一角から、協力企業も含め6千名が勤務する問題の福島第一原発の所長として勤務しており、結果的にはこれが幸いしました。

福島第一原発重大事故と吉田所長の動きを、門田隆将『死の淵を見た男』で、ポイントを要約追っていきます。

i　3月11日、大津波で全電源の喪失を受け、「人命と原子炉を守る」と宣言。消防車をかき集め注水開始を指示。

ii　3月12日、1号機水素爆発、原子炉へ海水注入開始。しかも官邸、本店の疑念を振り切り、無限にある海水注入を敢行、貫徹（半径20～30km圏内に避難指示出される）。

なお同日の早朝、菅直人首相、福一《ふくいち》乗りこみで、「早期ベント実施！」といらだつ東工大出身の菅直人首相に対し同大学7期後輩の吉田所長は、「もちろん努力しております。決死隊をつくってやっておりますので」と報告し、イラ立ちを静めてもらいました。

iii　3月14日、3号機の原子炉建屋が水素爆発。2号機の冷却装置ＲＣＩＣ停止、格納容器圧力が最高使用圧力を超える「７５０キロパスカル」。いよいよ最期の最悪の事態に備える。

iv　3月15日、2号機で大きな衝撃音発生。2号機何らかの損傷？　吉田所長「各班に最少人数をを残して退避」指示。4号機の原子炉建屋も爆発。

v　しかし、この後、何故か高圧の2号機格納容器が、急速に減圧し最大の危機を脱し、一時避難していた所員も現場復帰。

vi　注入し続けた水が、最後の最後で、遂に原子炉の暴走を止め、最悪の事態は回避。

吉田所長以下東電の「現場のリーダーシップ」が、辛うじて東日本壊滅を救ったのです。

(2) 巨大地震と共存する道を進むＪＲ東日本のリーダーシップ

事故、トラブル続きであったＪＲ東日本は、民営化直後の１９８８年東中野列車追突事故を契機に、経営者自身が安全体制の脆弱性を正直に強く反省し、改めて重大事故防止体制強化に乗り出しました。１９９５年の山陽新幹線の高架橋が倒壊した阪神淡路大震災により、新幹線の「安全神話崩壊」の現実に直面し、さらに２００４年の新潟県中越地震で史上初めて営業運転中の新幹線列車が脱線するに及び、「巨大地震と鉄道の重大事故防止」の具体的かつ徹底的な安全確保策を追求し、開発することに注力しました。

以来この10年余りの経営者、技術陣、現場リーダーは、安全最優先で「重大事故を防止するために出来ることは何でもやる」というトップダウンの方針の実現を目指しました。ＪＲ東日本の着実な努力が、東日本大震災で甚大な被害を受けていながら、奇跡的に旅客事故ゼロで、高速新幹線輸送の安全を守り抜きました。東電とＪＲ東日本の命運に決定的な差がついていたのだと考えます。

大地震は高速運転の新幹線営業にとっては最大のアキレス腱です。国鉄ないしＪＲ各社は、早くから距離のある震源地からの地震には「早期地震検知システム」を開発して早めに列車を止める安全対策を進めていました。しかし、1995年の阪神淡路大震災のような直下型の巨大地震に対しての有効な安全対策は、この時点では持ち合わせていませんでした。

i　1995年1月17日早朝、阪神淡路大震災で、JR西日本の山陽幹線の高架橋は直下型地震動で大規模に崩壊、落橋して列車運行上極めて危険で、営業時間帯なら大惨事となるところでした（写真1　新幹線安全神話崩壊となった阪神淡路大震災における高架橋崩落現場　33ページ参照）。「新幹線の安全神話崩壊」の現実に衝撃を受けたJR東日本は、阪神淡路大震災に際し多くの土木、運転関係の技術者を復旧要員としてJR西日本に送り込みました。徹底的に地震の現場実態を検証し、高速運転新幹線の地震対策をあらゆる角度から研究しました。

先ず実行に移したのは高架橋の「橋脚に鉄板を巻く」という単純な工事なのですが、このことによって橋脚の耐震強度は鉄板を巻く前の4～5倍に強化され、以後鉄板を巻いた橋脚の高架橋倒壊は起きておりません。この「橋脚に対する鉄板巻き補強工事」はJR東日本本社施設管理部の進言で採用され、活断層地帯の高架橋橋脚に優先度の高いところから順次施工していくという、いわばトップダウンのリーダーシップで進められました（写真6　阪神淡路大震災↓橋脚に鉄板を巻き耐震補強）。

ii　阪神淡路大震災から9年後の2004年10月23日、今度はJR東日本の上越新幹線で、営

写真6 阪神淡路大震災 → 橋脚に鉄板を巻き耐震補強
（国土交通省「新幹線脱線対策の進捗状況」より）

業時間帯の17時56分、新潟県中越地方にM6・8、直下型で最大震度7の巨大地震が襲いました。新潟県中越地震で、信濃川流域には、いくつもの地震活断層が横たわり、直下型の大地震が魚沼山間部を直撃しました。最大ガル値（gal・水平合成加速度）は新幹線越後川口変電所において846ガルで、これは阪神淡路大震災の時のガル値を上回る規模の大地震でした。

実はJR東日本の技術陣（本社課長補佐クラス）は、阪神淡路大震災の教訓から、JR東日本の東北・上越新幹線の中で、最も危険と思われる活断層のある3地区を選び、橋脚に鉄板を巻く耐震補強工事を提案し、これを実施したため、高架橋崩壊などによる大惨事は免れました。

中越地震発生時に越後平野の上越新幹線を走る高速列車は新潟―上毛高原駅間に上り下り合

わせて7本が走行中でした。直下型地震のため早期地震検知システムは機能せず「とき325号」が脱線しました。新幹線列車の高速営業運転中の脱線事故は、1964年新幹線開業以来40年目にして初めてでした。

9号車乗務の車掌は「ものすごい揺れで、飛行機が鉄道の車輪を履いて着陸するような感じ」と証言していました（「上越新幹線脱線事故報告書」JR東日本、2008年）。150人の乗客は奇跡的に無事でしたが、10両編成中先頭車両からの5両と最後尾からの3両、計8両が脱線しました。転覆はまぬかれたものの、先頭車両は上り線側に大きく傾き、もし上り列車が高速で突っ込んできたら衝突し大惨事となるところでした（写真2 新潟県中越地震で脱線した上越新幹線「とき325号」34ページ 参照）。

「とき325号」の脱線で、JR東日本が新たに学んだことは「あらゆる地震のいろいろな波形に対して、脱線を防止するというのは技術的にかなり困難だ」ということでした。

巨大地震に対する更なる高速鉄道の耐震安全策は、「脱線を容認し、逸脱転覆を防ぐ」方法でした。高架橋のスラブ軌道（砕石でなくコンクリート路盤による軌道構造）では、脱線しても、車両ガイド機構等で、逸脱を防ぎ、列車の横転、転覆を防ぐことができる方式を考案しました。

この脱線防止ストッパーは、L型車両ガイドを車両に取り付け、車輪と車両ガイドの間に

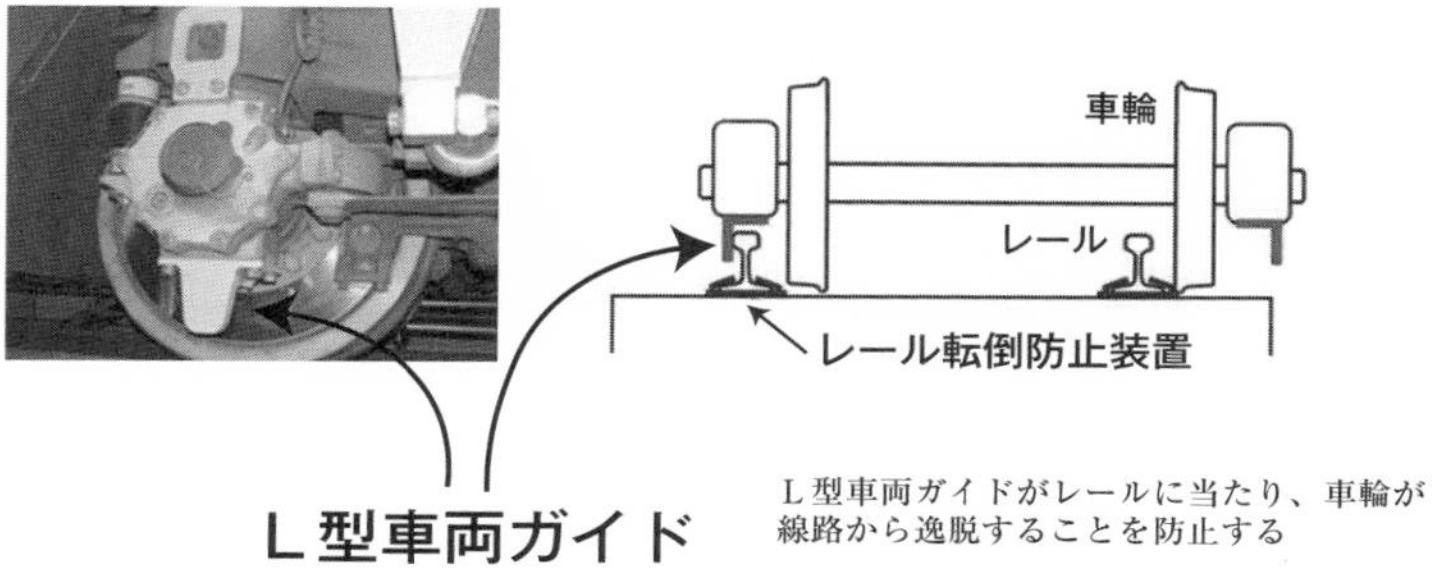

（国土交通省「新幹線脱線対策進捗状況」より

図表9 新潟県中越地震→新幹線の逸脱防止策の整備状況

レールを挟んでまっすぐ走る装置で、脱線しても逸脱転覆を防ぐことで、対抗列車との正面衝突を回避できるというものです（図表9 新潟県中越地震→新幹線の逸脱防止策の整備状況 参照）。

こうして「新幹線の安全神話崩壊」を受け入れたJR東日本は、巨大地震から高速新幹線列車の重大事故を防止する新しい安全確保策を確立しました。

ⅰ 従前の「早期地震検知システム」で「列車の早期減速指示」に加えて、

ⅱ 阪神淡路大震災で学んだ高架橋崩落を防ぐために「橋脚に鉄板を巻き強度を4～5倍に補強」し、高架橋の倒壊を防ぎ、

ⅲ 新潟県中越地震で、「激しい揺れに対して高速列車の脱線は避けられない場合がある」との知見に基づき、「脱線してもそのままレールを挟み込み横転しないで走行停

止する」仕組みを開発しました。
iv これはＪＲ東日本が「大自然の脅威である地震動と共存できる道」を学んだことで大変意義深いものがあります（なお、新幹線の地震対策安全装置につきましては、ＪＲ東日本以外の各社とも、方式に若干の差はありますが、同様の安全対策が講ぜられております）。

要すれば、我が国の新幹線高速鉄道は開業して40年余、新潟県中越地震で営業運転中の高速列車で初めて大地震災害の直撃を受けて、危険な形の脱線事故を起こしましたが重大事故に至らず、上越新幹線の旅客の安全は守られました。

こうして、ＪＲ東日本は、巨大地震に遭う度に、後追いとはいえ、トップダウン思考のリスクマネジメントとして最大限の安全確保策を作り上げることが出来ました。そのせいか、２０１１年東日本大震災では、激しい地震動によって東北新幹線のコンクリート製の電化柱が、広範囲にわたり、線路上に多数倒壊しましたが、早期地震検知システムの働きとともに、幸運も手伝い、列車の電化柱衝突事故は皆無で、またしても乗客の死傷事故ゼロで切り抜けることが出来ました（写真３ 東日本大地震による東北新幹線の電化柱倒壊現場 35ページ 参照）。

２ 原動力は「強固な良心」のリーダーシップ

２０１１年3月、東日本大地震の大津波に見舞われたとはいえ、なぜ福島第一原発は過酷事故を起こし、あわや国家安全保障の一大危機の恐れを招来してしまったか？　については、東電の経営、技術陣の「トップダウンのリーダーシップが十分に機能していなかったからだ」と筆者は指摘してきました。

しかし重大な事件事故の防止に当たりトップダウンのリーダーシップが、ほとんどと言っていいくらい機能していないのは、何も東電に限らず、近年の日本の国はもとより、数々の一流企業にも共通する問題です。

i　日本における国家を揺るがすような重大事件、事故、巨大自然災害、テロなどの発生は、既にみてきましたように、21世紀を迎える直前の阪神淡路大震災（１９９５年）を契機に、続発しております。問題なのは、そのほとんどに、国や企業の重大事故未然防止のトップダウン思考のリーダーシップが有効に機能しているとは言い難いのです。

すなわち、警察、関係省庁が全く防げなかった地下鉄サリンテロ事件（１９９５年）をはじめ、農水省の行政力不足によるＢＳＥ・牛海綿状脳症汚染国に（２００１年）、国鉄改革に成功した直後の新生ＪＲ西日本の福知山線脱線転覆事故（２００５年）、実は全国規模だった建築工事大偽装事件（２００５年）、国家安全保障を揺るがした人災　東電福島原発過酷事故（２０１１年）、設計の問題も指摘された中央高速道笹子トンネル天井板落下事故（２０１２

年)、大規模なタカタのエアバック全米大リコール事件(2014年)、東洋ゴム免震データ改竄事件(2015年)、三井不動産、旭化成子会社のマンション傾斜、杭工事施工不良問題(2015年)、JR西日本新幹線台車亀裂事故(2017年)、レオパレス施工不良事故(2019年)、陥没事故発生で、大深度地下工法に疑問発生。原因はNEXCO東日本の工法? 大深度法? 地質? (2020年)など国民生活の安全の根幹を揺るがす重大事故や深刻な不安が絶えません。

これらの重大事故等は、一事業者の責任にとどまらず、消費者国民の信頼を大きく損なうとともに、国家国民の安全保障にかかわる重大な事件、事故、テロですが、未然防止に当たって、トップダウン思考の有効なリーダーシップの形跡は、ほとんどうかがえません。

2005年の国土交通省の調査で、大半の国民が「今の日本は自然災害、事故、テロなどに危険で、危険度は増大している」と感じており、国や事業者のリーダーに今、強く求められているのは、「重大事故を未然防止できる『究極の安全性確保』であり、その実現にはトップリーダーに『強固な良心のリーダーシップ』がぜひとも必要」だということです。

ではなぜ「強固な良心」のリーダーシップでなければならないのでしょうか。もし国や事業者が重大事故未然防止の「究極の安全性」を追求するとなれば、単に法令遵守や科学技術の駆使にとどまらず、国家国民、消費者顧客の安全というかけがえのない「安全最優先の価値の創造」に努めることであり、根底に、尊い価値実現のための強い「貢献心」あるいは「利他の心」が存在し、どうしても「強固な良心のリーダーシップ」が必要なのです。

国や事業者は、「安全」というものを国際安全規格の定義通りの、「安全とは、受け入れられないリスクが存在しないこと」という単なる「危険のない状態」と考えるのではなく、「安全は国家国民にとって最優先の価値である」という認識をもって、「安全という最高の価値を実現する強固な良心のリーダーシップ」が重要だと考える必要があるのです。

経営トップは当然に強い良心のリーダーシップが求められますが、「現場にも強固な良心のリーダーシップ」が必要です。電力や鉄道のように巨大なピラミッド型組織にあっては、トップのリーダーシップがなかなか現場まで浸透しないという欠点があります。現場によって商品やサービスの品質が保たれ、安全が確保されることから、トップのリーダーシップと並んで、現場のリーダーシップも重きをなします。

現場のリーダーシップは「良心に従って正しく決断実行する現場力」であり、「やる気」、「熟練」、「チームワーク」によって成り立ち、「決断」により実行されます。

特に緊急異常事態発生の場合は、幹部や上司の指示を仰ぐ時間などがないので、「勇気」、「行動力」など現場力によって安全を確保します。

東電福島第一原発吉田昌郎所長の原発事故対応は、前述のとおり東電の本社はもとより菅直人総理、関係大臣まで向こうに回して、命がけで、強固な良心に従って正しく決断実行し、原発過酷事故を最小限に止め、我が国の国家安全保障を最大限守りぬかれたのではないでしょうか。

一方、東京電力としては、福島第一原発をはじめとして全ての原子力発電所の安全確保については法令に従い、原子力安全委員会、原子力安全保安院の指導や監督を受けて適正に運転してきており、事故原因は「想定外の津波」で避けがたく、全てを東電の責任にしないで欲しい、という気持ちは未だにぬぐい切れないでしょう。

この「事業者の安全論」の特徴といえる「不可抗力事故やテロなどによる免責論」は一見説得力があるように見えます。しかし、これが実は、これまでの「事業者の安全論」の限界なのです。想定外事象や外部要因をも含む原発重大事故の確実な未然防止を図らないと、国民の安全確保や国家安全保障は達成できません。

原発を運転している経営トップ、技術陣は「想定外の何が起こっても、原発の重大事故は、決して起こさない」という最高の価値実現を目指して、「強固な良心のリーダーシップ」をもって、国家安全保障を守り抜いて頂きたいと思っています。

3 「最悪を想定し、最大限に防御する」がリーダーの使命

東電は巨大原発を抱えており、その安全確保は国家安全保障そのものですし、JR東日本は多くの乗客の命を預かって、高速新幹線輸送や高密度通勤通学輸送などを行い、国民生活の安全に深くかかわっています。こういう「安全最優先の事業」の経営にあって、最も重要なことは「重大事故を如何に予防するか」ということで、その役割は最終的に「経営のトップリーダー」にあります。従って経営のトップリーダーは、「重大事故未然防止のために」常に「安全神話の罠に嵌ることなく、最悪の事態を想定し、最大限の備えをしておく」ということが重要です。

巨大原発を所有する電力会社の経営者が、米国スリーマイル島原発や旧ソ連チェルノブイリ原発の重大事故の現実を知り、確実に襲い来る巨大地震と巨大原発の相剋に思いを致すとき、本心で「原発の安全神話」のようなものを信じてしまうということは考えられません。

本物の経営者は、「原発の安全神話」であろうと、「新幹線の安全神話」であろうと、信じているふりをしながら、常に「外部要因や想定外事象」などによる「最悪の事態を想定し、最大限に備える」ことにより、重大事故を未然に防ぎ、確実に国家安全保障を守ることです。

トップリーダーは「最悪の事態を想定し」、「最大限に備える」ことが大切で、「最大限」ということは「出来ることは全部やる」ということで、どうしても「強固な良心のリーダーシップ」が必要となります。

ところが近年、国家、国民の安全保障の新たな危機が、外部から我々を襲っております。それは既に述べてきました「グローバリズムの進展に伴う罠」というべきもので、世界中の強大な外国資本や多国籍企業から、中国の「一帯一路」、「中国製造2050」のような国家資本まで、その強大な資本力、技術力をもって国境を越え、国家主権をも奪って世界を席巻、支配せんとする動きです。

i 危機の具体例は本書で既に指摘しましたが、「国鉄再建監理委員会並びにその後の関係者の、株式上場JRに対する外資規制のかけ忘れは、JRの外国鉄道化を招き、国家的最重要資産を永遠に失い、国家安全保障の重大な危機になる」ということ。

ii 平野秀樹氏、宮本雅史氏が『領土消失』で主張する、「北海道から南西諸島まで、急速に進む外資による国土買収に対して、全くなされない法整備、無策日本の末路」はどうなるかということ。

iii また山田正彦氏は『売り渡される食の安全』の中で、国家存亡につながる農業主権の喪失を次のように述べています。「モンサントをはじめとする多国籍企業によって、既に遺伝子組み換えのコシヒカリの種子、ゲノム編集された多収穫の米は用意されている。農水省や消費者庁などの監督官庁は、『遺伝子組み換えの安全性は確保されている』と力説しており、市場に出るのは時間の問題だ」

それだけではなく、種苗法の改正によって、「農家の自家増殖（採種）の原則禁止、つまり自分の畑や田んぼで採れた種を翌年使ってはいけない、つまり毎年、種子を提供する企業から種を買い続けなければならなくなる」ことで、事実上、農業の根幹を外国企業に握られ、農業主権を失うと述べています。

このようにグローバル化の罠として「国家的重要資産の喪失」、「領土消失」、「農業、食料主権の喪失」は、我が国の国家安全保障に直結する重要問題で、今ほど誤りのない判断と必要措置のできる「強固な良心のリーダーシップ」が求められている時はないのです。

これらの国家主権喪失に対する十分な備えができないと、国家のガバナンスが無力化し、為す術なしに陥り、国家安全保障、国民の安全確保がままならず、国家自滅に陥るということになります。

このような「グローバル化の罠」の厳しい実例としては、前にも触れましたが中国の「サイレント・インベージョン」の犠牲者となったオーストラリアのケースがあります。クライブ・ハミルトンは『目に見えぬ侵略』（飛鳥新社）の中で、「『一帯一路』で最も強調されているのが、インフラの建設や獲得だが」、２０１５年ダーウィン港の99年の租借権が中国企業に売却され、ウィリアムタウン空軍基地に近いニューキャッスル港を、中国企業が買った。「ダーウィン港の売却というやっかいな問題は、オーストラリアの政治と国防の指導層に対する中国の影響力の大きさを、オーストラリアが見誤った、完璧な実例である」と述べています。

中国がオーストラリアを「一帯一路」戦略の中に取り込んでしまい、オーストラリア政府が気付いたときには時すでに遅しで、中国のオーストラリア「属国化戦略」は既成事実化していました。

オーストラリアのモリソン首相は、２０１９年末「外国干渉防止法」等の法案を作り組織的な浸透工作防止の対抗手段を講じました。このことは、日本も、中国の国家資本のみならずグローバル資本活動の格好のターゲットとなる恐れがあり、グローバル資本による日本支配化戦略の下に、国家主権を蔑《ないがし》ろにされて属国化を推し進められる危険は十分にあるということです。

我国の時のリーダー達に必要なことは、繰り返しになって恐縮ながら、いかなる勢力の侵攻にあっても、既に兆候のある数ある危険の中から、国家安全保障危機に及ぶ恐れのある「最悪の事態を想定し、これを最大限に防御し」」、国家安全保障を守り切ることです。

4 理想の国家造りを考える―「本物、自然、健康」で、農・工商両全国家の建設を―

日本の工業製品の品質の高さは既に定評があります。戦後日本の工業製品の高品質化実現は、終戦直後、1950年に来日した米国人、W・エドワース・デミング博士の教えにまで遡《さかのぼ》るといわれています。歴史の皮肉といえばそれまでですが、戦後、連合国最高司令官のマッカーサー元帥が日本統治に、信頼性の高いラジオを大量に欲しがったことから、戦勝国アメリカが敗戦国日本に送り込んだデミング博士の品質管理理論伝授のお陰と、その後の日本の技術者の努力で、ラジオのみならず日本の工業製品が世界一の品質になり、アメリカを経済的に打ち負かすところまで成長していきます。

一方、デミング博士の品質管理理論に全く触れることのなかった日本の農業をはじめ金融、サービス、公共部門は取り残され、それが今日の停滞につながったとされています。

日本の工業製品は今でも高品質を維持しているのに、何故日本農業が高品質化による進歩発展に乗り遅れてしまったのかについては、デミング博士の品質管理理論に触れることができなかったこともさることながら、戦後の農地解放を経ても、米《こめ》をはじめ農産物を政府や農協あるいは市場を通してしか販売してこず、消費者や食産業などの顧客のための品質重視の御用達の関係を十分に築けなかったからだと筆者は指摘してきました。

この顧客を持てない日本農業は、実は極めて小規模営農という致命的な欠点を有していました。この極めて生産性の低い小規模の自作農は、戦後の農地解放によって生まれ、農地法で守られ、もはや既得権意識で固まって、農業の大規模化など到底できない致命的な欠点を有しています。この小規模日本農家が、アメリカの強大なバイオメジャーと渡り合って、日本農業の浮沈をかけた「『種』の支配をめぐる戦い」に勝を収めることができるでしょうか?

繰り返しになりますが、もし勝ち目があるとすれば、唯一の方策は、逆転の発想で「最悪の欠点を最良の利点」に転換することです。小規模農家は、狭小農地に遺伝子組み換え種の播種など不可能で、ゲリラ戦のように個別に信念をもって、特定顧客のための品質重視の自然農法に徹することです。それは、小規模農地の農家でもできる生命維持産業としての「高品質本物自然農法」を実践して、消費者顧客、食産業などと連携して御用達の関係で活路を見出すことです。高品質本物自然農法とは、米や麦、大豆と野菜類について、消費者顧客のために、彼らの望む本物自然農法で、「種」はこれまで「在来固定種」を改良していき、「種」を守り日本農業を持続発展させることです。

TPPや日米二国間貿易交渉によって、遺伝子組み換え技術と特許権で武装したバイオメジャーの工業化農法が侵攻してくるとき、日本農業の活路は農産品の品質重視を打ち出し、新たに消費者・食産業の参加を得て、相互信頼と協力によって生産者と消費者による御用達の関係を築き、日本独自の本物・自然・健康の持続的農業を発展させることです。これが理想の「一億人総農業論」だと思います。

歴史的に見れば、日本は優れた農業国家です。欧米の先進国は農業を国家の礎にして、いくら自由貿易競争時代にあっても農業への補助制度を手厚くして、食料の自給率は軒並み高いレベルにあります。農業は国家の大本で、食料の自給自足は最大の国家安全保障そのものなのです。

従って日本農業は小規模とはいえ、EUとともに、遺伝子組み換えを利用した国際アグリビジネスには決して負けない、優れた在来固定種を発展させる本物の自然農業を守り抜きたいものです。

これからの農業などのリーダーは、漁業や畜産とともに、農業政策の善し悪しなど気にしないで、「大自然からの贈与」という基本原則に基づく尊い「生命維持産業」だという誇りを持ち、本物、自然、健康の日本固有の持続的農業発展へのリーダーシップが期待されます。

現在人類の危機は、依然として収まらない人口爆発の下で、核戦争、地球温暖化、新種の病原体の蔓延、巨大災害の脅威などいろいろあります。直接命を養っている食べ物の危機、とりわけ遺伝子組み換え種子の独占支配による農業主権、食料主権の喪失、ひいては世界的に種子資源の枯渇の恐れなど深刻な問題があるのです。

日本農業は温暖な気候、肥沃な土壌、豊かな水など恵まれた条件下にあるといわれますが、最も恵まれていることは、農業地域のすぐそばに膨大な都市市民が生活しており、「生産者と顧客消費者がほぼ同居している」ということです。両者が信頼協力しそれぞれが、リーダーシップを発揮できれば、理想的な地産地消の自然農法の食料御用達システムができます。

これから日本農業が、「本物、自然、健康」の「日本独自の自然農業」を発展させることにより、既に進んでいる工業、商業と相まって、理想の「農・工商両全国家」の建設が可能となるのです。

参考文献

小松左京『日本沈没』光文社、１９７３年
井上寿一『論点別昭和史』講談社、１９１９年
新型コロナ研究班『新型コロナはいつ終わるのか』宝島社　２０２０年
石橋克彦『大地動乱の時代』岩波書店、１９９４年
鎌田浩毅『西日本大震災に備えよ』ＰＨＰ研究所、２０１５年
鎌田浩毅『日本の地下で何が起きているか』岩波書店、２０１７年
ＪＲ東日本『上越新幹線脱線事故報告書』、２００８年
佐々木崇人他「新幹線用コンクリート製電柱の被害とその対策」コンクリート工学 53・7
２０１５年7月
伊藤正直『戦後ハイパーインフレと中央銀行』日本銀行金融研究所、２０１１年
明石順平『データが語る日本財政の未来』集英社インターナショナル、２０１９年
明石順平『ツーカとゼイキン』集英社、２０２０年
森永康平『ＭＭＴが日本を救う』宝島社、２０２０年

藤巻健史『日本大沈没』幻冬舎、２０１２年
土木学会「国難をもたらす巨大災害対策についての検討報告書」レジリエンスの確保に関する技術検討委員会、２０１８年
有吉　章「巨大地震、国債暴落のトリガーとなるか」第98期一橋フォーラム21講演会２０１８年11月20日
ＮＨＫスペシャルメルトダウン取材班『福島原発事故７つの謎』講談社、２０１５年
水野倫之『福島第一原発事故と放射線』ＮＨＫ出版、２０１１年
政府事故調核心解説　畑村陽太郎、安部誠治、淵上正朗『福島原発事故はなぜ起こったか』講談社、２０１３年
政府事故調技術解説　淵上正朗、笠原直人、畑村陽太郎「福島原発で何が起こったか」日刊工業新聞社、２０１２年
門田隆将『死の淵を見た男 吉田昌郎と福島第一原発の五〇〇日』ＰＨＰ研究所、２０１６年
門田隆将『「吉田調書」を読み解く 朝日誤報事件と現場の真実』ＰＨＰ研究所、２０１４年
船橋洋一『原発敗戦』文藝春秋、２０１４年
高木仁三郎『原発事故はなぜくりかえすのか』岩波書店、２０００年
菅　直人『東電福島原発事故 総理大臣として考えたこと』幻冬舎、２０１２年

吉沢厚文　第39回蔵前科学技術セミナー「福島第一原子力発電所事故の概要と廃炉に向けた取り組み」　２０１８年10月20日
鈴木達治郎　「原子力政策の展望」世界、岩波書店、２０１９年７月号
鈴木達治郎『核兵器と原発』講談社、２０１７年
新潟日報社原発問題特別取材班『崩れた原発「経済神話」』明石書店、２０１７年
ニュートン「別冊検証福島原発１０００日ドキュメント」ニュートンプレス、２０１４年
ニュートン「別冊原発の仕組みと放射能」ニュートンプレス、２０１１年８月15日発行
福井義高「ＪＲ北海道は３分割せよ」論座　朝日新聞社、２０１９年１２月24日
福井義高「鉄道貨物は存続可能か」企業会計　中央経済社、２０１８　Ｖｏｌ　70　№６
伊藤直彦「鉄道貨物」日本経済新聞社、２０１７年
「貨物が握る『北の鉄路』の運命」週刊東洋経済、２０２０年10月３日
堀　雅通「鉄道の上下分離と線路使用料」高崎経済大学論集第47巻第1号、２００４年
石井幸孝「国鉄改革30年その３　新幹線物流が動き出す」鉄道ジャーナル、２０１７年８月№６０１０
石井幸孝『人口減少と鉄道』朝日新聞出版、２０１８年
小役丸幸子「ＥＵ諸国における鉄道経営」交通経済研究所、２００７年４月号、（一部修正

２０２０年）
Jonathan Masters and JamesMacBride「外国投資とアメリカの国家安全保障」（Foreign Investment and U.S. National Security」、https://www.cfr.org/backgrounder/foreign-investment-and-us-national-security、最終更新日２０１８年８月28日）
関　志雄「中国経済情勢・米中貿易摩擦を中心に」野村資本市場研究所、２０１９年３月13日
平野秀樹『日本、買います』新潮社、２０１２年
宮本雅史、平野秀樹『領土消失』ＫＡＤＯＫＡＷＡ、２０１８年
宮本雅史『爆買いされる日本領土』ＫＡＤＯＫＡＷＡ、２０１７年
平野秀樹『日本は既に侵略されている』新潮社、２０１９年
東　裕「憲法と国土」憲法研究50号　憲法学会、２０１８年
吉原祥子『人口減少時代の土地問題』中央公論新社、２０１７年
所有者不明土地問題研究会（座長・増田寛也）「所有者不明土地問題最終報告書」２０１７年
クライブ・ハミルトン『眼に見えぬ侵略』飛鳥新社、２０２０年
堤　未果『日本が売られる』幻冬舎、２０１８年
中野剛志 編『ＴＰＰ　黒い条約』集英社、２０１３年
中沢真一『日本の大転換』集英社、２０１１年

鈴木宣弘『食の戦争』文藝春秋社、２０１３年
山田正彦『タネはどうなる』サイゾー、２０１８年
山田正彦『売り渡される食の安全』ＫＡＤＯＫＡＷＡ、２０１９年
野口勲『タネが危ない』日本経済新聞出版、２０１１年
「暗夜に種を播く如く・一楽照雄伝」一楽照雄伝刊行会、１９９３年
国土利用の実態把握等に関する有識者会議「国土利用の実態把握等のための新たな法制度のあり方について 提言」２０２０年12月24日
『国土交通白書』（平成17年度）国土交通省、２００６年
財政制度等審議会「令和時代の財政の在り方に関する建議」２０１９年6月19日
原 朗『日清日露戦争をどう見るか』ＮＨＫ出版、２０１４年
姜 尚中『朝鮮半島と日本の未来』集英社、２０２０年
武田修三郎『デミングの組織論』東洋経済新報社、２００２年
竹田正興『品質求道』東洋経済新報社、２００５年
竹田正興『新版 安全と良心』晶文社、２０１６年

あとがき

私が今、どうしても本書で述べたかった大事なことを、最後にもう一度整理させて頂きます。日本は、「昭和のアジア太平洋戦争大敗北」のどん底から、見事に復興を遂げ繁栄を築いてきたものの、東日本大震災による「平成の東電福島原発大爆発事故」により、あわや「東日本壊滅」となるところを、単なる偶然で救われ、辛うじて今日の日本があります。

しかし、令和の首都、西日本大震災の直接被害とその後の大経済被害たるハイパーインフレは免れ得ず、そこに今のコロナ禍のような新型感染症の蔓延が加重されますと、まさに「令和の三重苦の国難」に打ちのめされることになります。

更に、グローバル化の罠に嵌り、ＪＲなど国家的重要資産や領土の消失による国家主権の喪失、農業の「種」を支配されての食料主権の喪失などは、とりもなおさず巨大資本や多国籍企業を擁する大国による「日本属国化」であり、やがて国家自滅に至ります。

令和大震災による宿命的な国難は、物凄く悲惨なことになるでしょうが、時間がかかれば、いずれ復旧、復興は可能です。

しかし外資によるグローバリズムの罠に嵌って、ＪＲや領土を失い、農業の「種」まで押さえられてしまっては、二度と元に復することは不可能です。日本は平和のまま重要資産、領土、食料主権を失い、まさに福島原発大事故による「東日本壊滅」や小説『日本沈没』と同じことになってしまいます。

従って、これからの日本の政官財あるいは学会のリーダーは、国防はもとより、天変地異、経済大変動、グローバル化の罠など、それぞれの重大なリスクの本質を見極め「最悪の事態を想定し、最大限に備え」、必要な外資規制など防備策を的確に講じ、国家の守りを固めるべきだと思います。

日本は日米同盟の下で、工業製品中心の多国間自由貿易による経済の成長発展を図りながらも、強固な良心のリーダーシップをもって、ＪＲや領土、農業主権などを外資から守り抜き、本物、自然、健康の独自固有の農業を大切にして、「農・工商両全の国家」を建設し、自立と自衛で日本を発展させていく必要があります。これが、敢えて本書を上梓した理由です。

最後に、この書が、「危《あや》うい国、日本」の立ち直りのために、少しでも貢献できるならば望外の幸せです。

本書の出版に当たり、元日刊工業新聞社論説委員の高木豊氏に貴重なアドバイスを頂きました。また出版に当たり、晶文社の太田泰弘社長、川上勝広専務、木下修顧問、めるくまーる梶原正弘社長には大変お世話になり深く感謝申し上げます。

令和3年3月吉日

竹田正興

著者紹介

竹田正興（たけだ まさおき）

一九四〇年新潟県生まれ。一九六三年一橋大学法学部卒業、日本国有鉄道入社。一九九六年日本食堂株式会社（株式会社日本レストランエンタプライズ）社長就任。二〇〇八年国土交通省運輸審議会会長。二〇〇九年財団法人交通協力会会長。二〇一一年社団法人日本交通協会副会長兼理事長、二〇一四年～二〇一七年同会長。

著書：『品質求道』東洋経済新報社、二〇〇五年。『安全と良心』晶文社、二〇一二年。

危《あや》うい国《くに》、日本《にっぽん》　防備不足の罠

二〇二一年四月一〇日初版

著　者　竹田正興

発行者　株式会社晶文社

〒一〇一-〇〇五一　東京都千代田区神田神保町一-一一

電話　（〇三）三五一八-四九四〇（代表）　四九四二（編集）

URL https://www.shobunsha.co.jp/

印刷・製本　株式会社太平印刷社

ISBN978-4-7949-7255-2　Printed in Japan